Nuestra historia es larga, nuestra situación ha sido una vida bastante triste.

Santos, Comunidades de Población en Resistencia de la Sierra

Conocer la verdad duele pero es, sin duda, una acción altamente saludable y liberadora.

Monseñor Juan Gerardi, 24 de abril de 1998*

*Dos días después de haber pronunciado estas palabras durante la presentación pública del informe del Proyecto para la Recuperación de la Memoria Histórica (REMHI), Gerardi fue brutalmente asesinado por miembros del ejército guatemalteco. Gerardi había coordinado la investigación sobre las violaciones de derechos humanos que ocurrieron durante la guerra civil guatemalteca. Dicha investigación duró cuatro años.

Ana sostiene el cartucho vacío de un mortero que el ejército disparó contra su comunidad durante una ofensiva en 1989. Comunidades de Población en Resistencia (CPR) de la Sierra, Quiché, 1993

NUESTRA CULTURA ES NUESTRA RESISTENCIA

REPRESIÓN, REFUGIO Y RECUPERACIÓN EN GUATEMALA

Fotografías de Jonathan Moller

Prólogo de Rigoberta Menchú Tum
Ensayos de Ricardo Falla, Francisco Goldman y Susanne Jonas
Prosa y poesía de Humberto Ak'abal, Heather Dean,
Julia Esquivel, Eduardo Galeano y Francisco Morales Santos

Testimonios de supervivientes de la guerra civil guatemalteca

TURNER

Una mañana de domingo, los músicos ensayan antes del servicio religioso en la capilla de la comunidad. Asentamiento Xecuxap, área de Cabá, CPR de la Sierra, Quiché, 1993

Se dedica este libro a los muchos guatemaltecos que han compartido tan amablemente conmigo sus casas, su comida, su amistad y su sabiduría. Quisiera honrar la verdad y el testimonio de lucha y sobrevivencia de las personas cuyas fotos aparecen en este libro, así como la historia de las otras comunidades que visité o donde viví. Lo dedico a las miles de personas que luchan por una vida digna y una Guatemala más pacífica y justa, así como también a la memoria de las decenas de miles de hombres, mujeres y niños que fueron asesinados brutalmente durante la guerra civil.

Jonathan «Jonás» Moller

Víctimas y testigos

Dicen que los huesos de los muertos no cuentan cuentos. En muchos casos hablan por sí mismos, narran historias de dolor, de violencia y de abusos. En Guatemala, cada cementerio clandestino encontrado, cada osamenta rescatada de la madre tierra habla de pueblos arrasados, de casas quemadas, de matanzas indiscriminadas, en resumen, de los crímenes en contra de la Humanidad, del genocidio cometido por el ejército en contra de la población indígena.

De esto hablan las fotos de Jonathan Moller. Pero también muestran otra faceta, la de la vida, la de la esperanza, la de la redención, la de la reivindicación. Las Comunidades de Población en Resistencia (CPR) fueron un desafío al orden establecido, a la violencia de facto, al terrorismo de Estado. Y no sólo por el hecho de ser sobrevivientes, sino porque se organizaron para rechazar lo que sus victimarios representaban: la muerte, la violencia, la humillación, la inhumanidad. Y fueron perseguidos por eso, por haber vencido a la muerte y por haber contado su historia, una historia que también es la del pueblo de Guatemala, una historia que habla de la lucha por la justicia, por la paz, por la dignidad y por mejores condiciones de vida.

Las CPR constituyen un ejemplo de una valiente labor de organización comunitaria, de una existencia pacífica y en armonía con la naturaleza. Fueron la conciencia testigo de un pueblo descendiente de una de las civilizaciones más grandes y espirituales de la Humanidad, marcado con el sello de la represión y el sufrimiento.

Estas fotos denuncian y dan un mensaje de vida, informan y captan la belleza de un instante, que siempre pasa pero que queda fijo en la memoria.

Cada momento captado por la cámara de Jonathan Moller pasa a la eternidad, pero también es un aliento para el futuro. Es un elemento ilustrativo para las generaciones futuras, para conocer un pasado lleno de oscuridad, pero que también encierra esperanza, lucha y optimismo. La esperanza se ve en el trabajo de la gente, en los rostros de los niños, en la construcción de una vida mejor para todos.

Para que el genocidio cometido no se olvide nunca y sus autores sean juzgados y castigados algún día, el contenido de este libro se convierte en un capítulo de la memoria colectiva sobre una historia que oficialmente ha sido negada. En las crónicas oficiales los hechos capturados por la cámara de Moller nunca tuvieron lugar, nunca hubo tierra arrasada, nunca hubo matanzas, nunca hubo botaderos de cadáveres, nunca hubo genocidio.

Pero los huesos de los muertos prueban lo contrario. Los huesos de los muertos no cuentan cuentos…

Rigoberta Menchú Tum
Premio Nobel de la Paz, 1992

◀ Durante una exhumación, doña Clara sostiene una foto de su esposo, cuyos restos estaban siendo desenterrados. Tenía cincuenta años cuando los soldados lo acribillaron en 1982. Municipalidad de Nebaj, Departamento del Quiché, 2000

Un día oímos que el ejército venía entrando en las comunidades, mataba a la gente y se robaba todo, también las ovejas. Desde ese día tuvimos que salir a refugiarnos en la montaña para salvar la vida. Cuando el ejército entraba en las comunidades mataba a los que encontraba, hombres, mujeres y niños, y quemaba las casas. Después, salía a buscar a los que huíamos en la montaña. Muchos de nuestros hermanos ya no regresaron porque fueron matados, y los que pudimos enterrar se quedaron allá. Ahí han estado, refugiados aun después de la muerte.

Para nosotros, es como si ellos todavía estuvieran en el exilio, y los queremos traer a casa.

Marcos, Nebaj, Departamento del Quiché, 2000

◄ Los restos de dos mujeres, un hombre y un niño. Los restos de otros tres miembros de la misma familia ya habían sido levantados de la misma fosa. En agosto de 1982 una patrulla militar masacró a las siete personas cuando escapaban hacia las montañas. Cercanías de la aldea San Francisco Javier, Nebaj, 2000
▲ Un grupo de aldeanos y familiares observa cómo exhuman los restos de cinco personas asesinadas durante la violencia de principios de los ochenta. Nebaj, Quiché, 2000

GUATEMALA

México

Belice

Caribe

CPR PETÉN

Flores

Comunidad
Salvador Fajardo

PETÉN

CPR IXCÁN

Primavera del Ixcán

HUEHUETENANGO

ALTA VERAPAZ

IZABAL

CPR SIERRA

Lago Izabal

Huehuetenango

Chajul

Cobán

Nebaj

Cotzal

QUICHÉ

SAN MARCOS

BAJA VERAPAZ

ZACAPA

TOTONICAPAN

Santa Cruz
del Quiché

EL PROGRESO

QUETZALTENANGO

SOLOLÁ

GUATEMALA

CHIQUIMULA

Honduras

CHIMALTENANGO

Ciudad de
Guatemala

JALAPA

Unión Victoria

SUCHITEPÉQUEZ

SACATEPÉQUEZ

RETALHULEU

Tesoro Nueva Esperanza

JUTIAPA

Escuintla

SANTA ROSA

ESCUINTLA

El Salvador

0   25   50 Kilómetros

OCÉANO PACÍFICO

Fuente: Programa Ecuménico para Centroamérica y el Caribe (EPICA)

▲ Las palabras encima del crucifijo dicen: «Y dieron su vida como Jesús». Las cruces en la pared lateral de esta iglesia tienen los nombres de aquellos que fueron asesinados o desaparecieron en San Juan Cotzal, una de las tres municipalidades de donde huyeron muchos de los miembros de la CPR de la Sierra. 1993

Nuestra lucha es semilla del futuro

Este libro es la culminación de un viaje de once años. Es una visión de la trágica historia reciente de Guatemala y la lucha constante por la verdad y la justicia. Lo que usted tiene en sus manos es el resultado de años de trabajo en las áreas de los derechos humanos y la fotografía. Muchas personas, incluyendo a los guatemaltecos con los que viví y trabajé, colaboraron en este esfuerzo. El objetivo de este libro es sacar a luz la lucha de los pueblos indígenas, mayormente mayas, que fueron arrancados de sus tierras y aterrorizados durante la larga guerra civil guatemalteca. Espero poder contribuir a la preservación de la memoria histórica del pueblo guatemalteco con estas imágenes que honran su perseverancia. Estas son historias de vida y muerte, de esperanza y angustia, y de las luchas por sobrevivir, el respeto y la verdad. Estas historias e imágenes no pueden quedarse más tiempo escondidas detrás de las paredes del miedo, el rechazo y la impunidad.

Espero que estas páginas puedan comunicar la fortaleza, la belleza y la dignidad de la gente guatemalteca. Tal vez este libro, de alguna manera, pueda servir como herramienta educacional para contar la historia del sufrimiento y las atrocidades, y de los esfuerzos actuales en pro de la verdad, la justicia y la reconciliación.

Viajé a Guatemala por primera vez en 1993, como fotógrafo educado en una escuela de bellas artes y amante del trabajo en el área de los documentales con contenido social. Pero más que todo, yo llegué de El Salvador ofendido por la participación criminal de Estados Unidos en los conflictos centroamericanos y profundamente preocupado por la explotación y represión desatada en contra de los pobres e indígenas guatemaltecos.

Durante seis años, entre 1993 y 2001, trabajé en Guatemala como activista de derechos humanos y como fotógrafo independiente, principalmente con las poblaciones desplazadas por la represión y la violencia. También apoyé el regreso de los refugiados provenientes de los campamentos en México. La mayor parte de ese tiempo trabajé con dos organizaciones de derechos humanos ubicadas en Estados Unidos y después, durante varios meses entre los años 2000 y 2001, serví como fotógrafo del equipo antropológico forense de la Oficina de Paz y Reconciliación de la Diócesis Católica del Quiché, documentando las exhumaciones de los cementerios clandestinos.

Una gran parte de este libro se enfoca en las Comunidades de Población en Resistencia (CPR), con quienes viví y trabajé entre los años 1993 y 1995. Las CPR nacieron como resultado de la violenta represión dirigida por el ejército de Guatemala contra la población civil a principios de los ochenta. Al mismo tiempo que decenas de miles de campesinos, mayoritariamente indígenas, cruzaban la frontera hacia México (muchos de los cuales terminaron en campamentos de refugiados de la ONU), aquellos que luego formarían las CPR huían hacia las montañas y selvas remotas de Guatemala. Allí crearon comunidades móviles, altamente organizadas y autónomas, que silenciosamente resistieron la muerte y el control militar. Ellos se mantuvieron escondidos en estas áreas remotas hasta principios de los noventa. Durante ese período de entre doce y quince años el gobierno los acusó de ser guerrilleros y el ejército los persiguió constantemente.

Pasé tiempo en esas comunidades como observador de derechos humanos y acompañante. Los acompañantes actuaban como testigos, funcionando esencialmente como escudos humanos contra los ataques del ejército, aunque las incursiones de violencia eran ya menos frecuentes cuando llegué.

Las CPR estuvieron presentes en tres áreas de Guatemala. Este libro se centra primero en las de la Sierra, una región montañosa muy escarpada, y luego en las tierras bajas selváticas del Ixcán y el Petén. De ahí se traslada a la posguerra, a las comunidades permanentes de las CPR, reasentadas después de la firma de los Acuerdos de Paz a finales de 1996. Cierran este círculo temático las imágenes y los testimonios de las exhumaciones y la recuperación de los restos de las víctimas de las masacres ocurridas a principios de los ochenta.

En el otoño de 1993 caminé durante dos días desde el pueblo de Chajul hacia Cabá, en el corazón de las CPR de la Sierra. Allí pasé casi dos meses compartiendo una casa de una sola habitación con don Pedro, doña Elena, sus tres hijos y una hija. Me recibieron como si fuera de la familia y compartieron conmigo sus tortillas de maíz, frijoles y verduras. Fueron muy generosos conmigo en darme más que lo suficiente de lo poco que tenían, en compartir abiertamente su calor humano, humor y sabiduría.

Después, en enero de 1994 viajé a las CPR del Ixcán, cuando salieron de su escondite, y me quedé de acompañante en uno de sus nuevos asentamientos. Les ayudamos a construir sus nuevas chozas y a construir refugios contra las bombas. No pasó ni siquiera un día sin que se oyera el fuego de las ametralladoras, morteros o las explosiones de bombas en la selva. Algunas veces escuchamos los helicópteros en la distancia cuando se acercaban. En la noche, cuando el ronroneo de los motores se hacía más fuerte, la comunidad entera caía en el silencio, las gentes apagaban las candelas y algunas se metían arrastrándose en sus refugios.

Ambas, las CPR del Ixcán y las de la Sierra, compartían un lema común: «resistir para vivir». Esta es la base de su lucha.

En la primavera de 1995 viajé a las Comunidades Populares en Resistencia (CPR) del Petén. Las CPR del Petén todavía no habían recibido ninguna visita oficial del exterior. Para poder hacerlo nos tuvieron que pasar en forma clandestina desde México, de donde viajamos por la noche, escondidos en la parte trasera de un camión de transporte, pasando por varios puestos militares del ejército mexicano. Al amanecer nos pasaron por el río Usumacinta, para luego caminar hacia la selva en el otro lado y penetrar por la esquina noroeste del departamento guatemalteco del Petén.

De las CPR del Petén viene un dicho: «nuestra lucha es semilla del futuro». Uno de los líderes de las Comunidades Populares en Resistencia me dijo lo siguiente: «Primero, resistimos al ejército y a la muerte violenta. Después aguantamos hambre, enfermedades, frío y lluvia. Pero aún después de que todo eso desaparece, continuamos resistiendo la pobreza, la injusticia, la discriminación y la marginalización; resistimos un sistema y un mundo donde el poder y la riqueza se concentran en las manos de unos pocos y donde la mayoría está cada día más aislada y pobre. Esta lucha no es solamente nuestra lucha, también es tu lucha».

Es difícil expresar lo que viví y experimenté en Guatemala. A veces siento que no hay palabras o imágenes que puedan verdaderamente transmitir lo que observé, sentí y escuché. Aun así, creo que muchas de estas imágenes y testimonios, poemas y prosa, comienzan a comunicar el sufrimiento, la dignidad y la verdad de estas vidas y estas realidades.

Cuando estuve en Guatemala, pude darme cuenta claramente que ambas, la violencia y la guerra, causaron un dolor tremendo y dejaron muchas heridas. El temor y el dolor aún impregnan la cultura, y las heridas psicológicas y culturales ya han empezado a pasarse a la nueva generación. Más de siete años después de la firma de los Acuerdos de Paz, la paz aún no ha llegado a Guatemala. No hay justificación alguna para el sufrimiento y la muerte que le fue causada a la gente por otros. He llegado a creer que debemos luchar para dar testimonio en este mundo y que debemos levantar nuestras voces en un grito colectivo por la paz y la justicia para todos los seres humanos.

Hace once años, en aquellas montañas profundamente bellas y selvas manchadas de sangre, mis pasiones por la fotografía y la justicia social se unieron en un solo lazo. Mi esperanza es que este libro dé testimonio no solamente sobre mi visión como artista y activista, sino también (y más importante) testimonio sobre las vidas de aquellos guatemaltecos que sobrevivieron y resistieron la muerte y la explotación, y que continúan luchando por sus derechos fundamentales como son la supervivencia y la dignidad; y las de aquellos que fueron asesinados, pero cuyas memorias aún siguen vivas en nosotros.

Jonathan Moller
Marzo 2004

Una mujer ixil le peina el cabello a su hija. Área de Cabá, CPR de la Sierra, Quiché, 1993

Calentando tamalitos para el desayuno en el Tesoro Nueva Esperanza, una de las ocho comunidades reasentadas de las CPR de la Sierra. Patulúl, Suchitepéquez, 2000

Guatemala: Memoria del silencio

Guatemala es un país de contrastes y contradicciones, situado en la mitad del continente americano, bañado por las olas del mar Caribe y del Pacífico. Sus habitantes conviven en una nación de carácter multiétnico, pluricultural y multilingüe, dentro de un Estado emergido del triunfo de las fuerzas liberales en Centroamérica. Guatemala ha tenido hermosas y dignas épocas desde el inicio de la cultura maya milenaria hasta nuestros tiempos; su nombre ha sido glorificado por su ciencia, sus obras, su arte, su cultura, por hombres y mujeres ilustres y humildes, honrados y de paz, por el Premio Nobel de Literatura y por el Premio Nobel de la Paz. Sin embargo, en Guatemala se han escrito páginas de vergüenza e infamia, ignominia y de terror, de dolor y de llanto como producto del enfrentamiento armado entre hermanos. Durante más de treinta y cuatro años, los guatemaltecos vivieron bajo la sombra del miedo, la muerte y la desaparición como amenazas cotidianas para el ciudadano común...

La percepción, por el ejército, de las comunidades mayas como aliadas naturales de la guerrilla, contribuyó a incrementar y a agravar las violaciones de derechos humanos perpetradas contra el pueblo maya, evidenciando un agresivo componente racista, de extrema crueldad, llegando al exterminio masivo de comunidades mayas inermes a las que se atribuía vinculación con la guerrilla, incluyendo niños, mujeres y ancianos, aplicando métodos cuya crueldad causa horror en la conciencia moral del mundo civilizado...

Mediante las masacres y denominadas operaciones de tierra arrasada, planificadas por las fuerzas del Estado, se exterminaron por completo comunidades mayas, así como destruyeron sus viviendas, ganado, cosechas y otros elementos de supervivencia. La Comisión para el Esclarecimiento Histórico (CEH) registró 626 masacres atribuibles a estas fuerzas...

La CEH estima que el saldo en muertos y desaparecidos del enfrentamiento fratricida llegó a más de doscientas mil personas... La CEH concluye que agentes del Estado de Guatemala, en el marco de las operaciones contrainsurgentes realizadas entre los años 1981 y 1983, ejecutaron actos de genocidio en contra de grupos del pueblo maya...

Miles están muertos. Miles están de luto. Para los que quedan, la reconciliación es imposible sin justicia.

De *Guatemala: Memoria del Silencio*, Informe de la Comisión para el Esclarecimiento Histórico. La Comisión para el Esclarecimiento Histórico fue establecida mediante el Acuerdo de Oslo firmado entre el Gobierno de Guatemala y la Unidad Revolucionaria Nacional Guatemalteca (URNG) el 23 de junio de 1994, para «esclarecer con toda objetividad, equidad e imparcialidad las violaciones a los derechos humanos y los hechos de violencia que han causado sufrimientos a la población guatemalteca, vinculados con el enfrentamiento armado». El informe fue entregado en febrero de 1999.

Un sacerdote maya, don Nicolás, sostiene una cruz que lista las edades de sus familiares masacrados. CPR de la Sierra, 1993

CERTEZA

«Podrán cortar todas las flores
pero siempre volverá la Primavera.»
Florecerás, Guatemala.

Cada gota de sangre,
cada lágrima,
cada sollozo apagado por las balas,
cada grito de horror,
cada pedazo de piel
arrancado por el odio
de los antihombres,
florecerán.

El sudor que brotaba
de nuestra angustia
huyendo de la policía,
y el suspiro escondido
en lo más secreto de nuestro miedo
florecerán.

Hemos vivido mil años de muerte
en una Patria
que sera toda
«Una eterna Primavera».

Julia Esquivel

Las Comunidades de Población en Resistencia de la Sierra

Como pueblo maya, como pueblo indígena, tomamos como salida la organización, la lucha, la unidad entre los pueblos, pero la respuesta del gobierno fue las masacres masivas.

La población es inocente. En las masacres, mataron, asesinaron, masacraron a mujeres embarazadas, a niños, a los hombres, adultos, ancianos, a la juventud.

Ana

▸ Domingo posa con su radio, una de las pocas posesiones no esenciales de su familia, y prácticamente su único vínculo con el mundo exterior. Una noche en 1980, cuando tenía sólo tres años, los soldados llegaron a su casa y se llevaron a su hermano mayor y a su hermana. Nunca se les volvió a ver. Esa misma noche, el padre y la madre de Domingo los reunieron a él y sus dos hermanitos menores y escaparon. «Muchas gentes fueron asesinadas esa noche en nuestra comunidad. Los soldados comenzaron a quemar todas las casas. Aquellos que no fueron asesinados o quemados vivos huyeron a las montañas.» Cabá, 1993

Región de Cabá, CPR de la Sierra.
Sierra de los Cuchumatanes, 1994

23

«Hoy es día lunes 15 de noviembre de 1993. Para desarrollarnos debemos tener una buena alimentación. Para que la familia es sana. La CPR de la Sierra produce y todo lo que produce se alimentan. La necesidad de que todos los trabajadores nos unamos, para luchar de nuestros derechos como indígena como Guatemalteco. Poreso la CPR lucha por toda la injusticia que ahora vive los indígenas Guatemaltecos.» Cabá, 1993

Asentamiento Tzucuna, Cabá, 1993

Hemos vivido con temor durante tantos años. Siempre hemos sido oprimidos y perseguidos. Aquí en la montaña estamos presos. Hemos visto masacres, asesinatos, y nuestros hijos muriendo de hambre… no podemos regresar a nuestras aldeas, ya no existen… el ejército destruyó todo. Estamos resistiendo, resistiendo para vivir.

Don Vicente

Uno no entendía cómo los soldados eran capaces de hacer todo eso con la gente porque no se conformaban únicamente con matarlos sino dejarlos totalmente despedazados.

A los hombres les cortaban los testículos, les cortaban las orejas, les sacaban los ojos, les rajaban la boca, les quitaban partes del cuerpo. Y a las mujeres embarazadas, a veces les sacaban el feto del vientre y después se lo dejaban otra vez metido hacia adentro.

Unas atrocidades que uno no entendía cómo un ser humano era capaz de hacer eso con otro ser humano. Y claro, al ver esas cosas nos daba mucho más miedo, porque el día que me encuentren, que me agarren a mí, me va a pasar eso. Entonces uno trataba de huir desesperadamente, para no caer en manos de los soldados porque… porque era la muerte segura.

Marcos

Don Diego y don Pedro. Centro Cabá, 1993

En 1978-1979 empezaron los rumores de que existían grupos guerrilleros. Y entonces por esas mismas épocas empezaron a aparecer algunos grupos guerrilleros. Tomaban las aldeas, tomaban el pueblo. Empezaban a dar su mensaje que iban a hacer una lucha para cambiar el sistema en Guatemala. Decían que los ricos tenían toda la riqueza de Guatemala, sobre todo la costa que era la tierra que correspondía a los campesinos. Decían que iban a hacer la guerra para quitar el poder al gobierno y que estando ya en el poder iban a hacer la reforma agraria.

Y también hacían un llamado a la organización, que no era bueno trabajar de manera individual sino que había que trabajar unidos, porque sólo de esa manera se podía salir adelante.

Su discurso era muy parecido al trabajo de la Iglesia. Antes la gente trabajaba individualmente, pero ya con el trabajo comunitario. Y la guerrilla venía diciendo que eso había que hacer también. De ahí se empezó a decir que la Iglesia organizaba a la gente para la guerrilla.

Había líderes que dirigíamos las comunidades, los trabajos, los proyectos, y entonces en los ochentas empezaron las tropas a hacer incursiones en las comunidades, y secuestraban a los líderes. Se los llevaban desaparecidos.

Eso fue creando un gran temor, ya no sólo a los dirigentes, sino a toda la comunidad. Y la guerrilla ya fue entrando más frecuente a las comunidades, y ya le hablaban a la gente de por qué iban a hacer la lucha.

Se oía todo muy bueno, como ya se había dado el triunfo en Nicaragua, también El Salvador estaba en guerra en ese tiempo. Todos creímos que en Guatemala la guerra iba a ser igual que en Nicaragua, que en un mes ya se iba a terminar todo y que ya iba a haber un nuevo tiempo, un nuevo gobierno. Muchos creímos en ese discurso, y la guerrilla empezó a crear ya sus bases, sus estructuras dentro de la población, y empezaron a formar los comités clandestinos en las comunidades.

Pero eso significó mucha más represión. El ejército se empezó a enterar que la gente se estaba organizando. Y por el temor de los secuestros, cuando teníamos noticias del ejército, no lo esperábamos sino que ya empezamos a salir de la casa. Cuando llegaron a las aldeas y encontraron ya las casas sin gente, empezaron a sospechar aún más. La gente no era guerrillera, sino simpatizante, una masa organizada para apoyar el movimiento revolucionario.

Empezaron a quemar todas las casas y a asesinar a la gente. A todos los que encontraban, los mataban...

El apoyo que daba la gente no significaba mayor cosa para la guerrilla, era únicamente maíz y comida. Vestidos de combate y toda esa cuestión, la gente no participaba en eso. Pero las consecuencias fueron tremendas.

Poco a poco fuimos dejando nuestros lugares. En nuestras aldeas se quedó nuestro maíz, se quedó nuestro frijol, se quedaron nuestros animales. Uno no tenía esa idea de que voy a regresar a traer mis cosas, porque sabíamos claramente que el ejército ya las había arrasado, y ya no teníamos nada.

Entonces en la montaña donde llegábamos comíamos pura hierba que antes no conocíamos. Pero de la pura hambre tuvimos que comer cosas, porque el hambre es fuerte. Los niños chillaban, lloraban. Era tremenda la situación, la vida que teníamos.

Tuvimos que comer frutas de palo, raíces, y mucha gente se murió por comer cosas que antes no se sabía comer. Y nos desplazamos para acá, más metido en la montaña, tratando de resistir y mantener nuestra fe a la santa tierra, porque es la única que nos da la vida.

Aquí en Nebaj casi todas las aldeas fueron totalmente arrasadas. No quedó ni una sola gente. Todo fue totalmente arrasado.

Manuel

Proyecto colectivo de horticultura y jardinería para mujeres. Tzicutzalá, Cabá, 1993

Cuando la milpa ya tenía elotes, lo cortaban, lo tapizcaban, buscaban leñas y juntaban fuego, gran fuego. Entonces el pobre maíz, o la pobre mazorca, lo echaban en el fuego y se quemaban las mazorcas, para que se terminara de una vez el maíz.

Habíamos sembrado un poquito de milpa aquí a la orilla del río, y cuando llegaron los patrulleros junto con los soldados, la milpa ya estaba buena. Empezaron a cortarlo y tirarlo en el río. También arrancaban los frijoles, los dejaban quemados, lo demás lo tiraban al río, y así se terminaban las semillas.

Estuvimos un tiempo sin maíz, sin frijol.

Nicolás

En la mañana María hace tortillas de maíz. Algunos días la familia sólo come tortillas, y tal vez algunas hierbas silvestres. Cabá, CPR de la Sierra, 1993

Dos hombres regresan a su comunidad con hojas para ponerlas de techos en sus chozas. Tzicutzalá, Cabá, 1993

Mi nombre es Juana Tzoc.

Cuando tenía yo diez años, no pensaba mucho en las cosas que estaban pasando. Pero era curiosa y cuando escuché la bulla como una fiesta de cumpleaños, fui corriendo a escucharlo y venía la gente corriendo con sus maletas, con sus hijitos, caminando, pero así urgente.

Y me fui corriendo a hacerles preguntas, «¿Qué está pasando?», «¿qué viene?».

Y decían: «¡Viene el ejército matando gente, ya agarraron gente! ¡Vámonos, si ustedes no se van, se van a morir!», me decía la gente…

Y regresé corriendo a la casa: «Mamá, dice la gente que el ejército viene y está matando gente».

Y me dijo mi mamá: «No está tu papá. ¿Qué vamos a hacer?», «¿Qué vamos a llevar, qué vamos a hacer…?». Mi mamá entraba adentro y salía afuera, y yo llorando porque la bulla era fuerte…

Llevé un morral y mi mamá hizo una carga. Ya no llevamos pisto, ya no llevamos nada. Y nos fuimos. Llegamos donde había un poquito de montañita, y dejó su carga mi mamá, porque ¡venía, venía el ruido de la ametralladora y todo!… fuimos corriendo con mi mamá, nos pegamos detrás de la gente. Ahora sólo llevábamos la ropa que usamos.

Estuvimos en un bordo, había gente, mujeres y niños. Escuchamos el ruido, el ejército empezó a encender nuestro terreno, nuestra casa… Y me contaron: «Tu papá ya se murió». ¡Ay Dios mío! Sentí dolor por mi padre… lo quemaron… mi padre ya estaba muerto. Lo mataron. ¡Ay Dios!…

«¿Qué vamos a hacer?», decía la gente. «Ni conocemos la guerrilla, ni conocemos el ejército. ¿Por qué nos hacen así? ¿Qué delitos tenemos, si no sabemos nada?». Así decía la gente.

Temblábamos, esperando la muerte. Yo recuerdo. Yo era pequeña pero recuerdo todas las cosas.

¡Venía la balacera encima! ¡Ay Dios mío! Venía la balacera. Se quebraron las ramas de los árboles, se cayeron delante de mí ¡Uy! Nosotros levantando… Yo me fui detrás de mi gente. Mi mamá, saber… Pasamos casas, ya había muertos adentro. Había niños, había gente embarazada, tenían rajados sus estómagos.

¡Ay Dios mío! Llorando iba, ya no podía caminar… y fuimos, fuimos, fuimos…

Y NADIE NOS VE

La llama de nuestra sangre arde
inapagable
a pesar del viento de los siglos.

Callados,
canto ahogado,
miseria con alma,
tristeza acorralada.

¡Ay, quiero llorar a gritos!

Las tierras que nos dejan
son las laderas,
las pendientes:
los aguaceros poco a poco las lavan
y las arrastran a las planadas
que ya no son de nosotros.

Aquí estamos
parados a la orilla de los caminos
con la mirada rota por una lágrima…

Y nadie nos ve.

Humberto Ak'abal

Juanito en la capilla. Asentamiento Xecuxap, Cabá, 1993

La boda de Juan y María. Tzucuna, Cabá, 1993

Una niña ixil, con su carga de hierbas silvestres y un pedazo de leña, regresando a casa. Cabá, 1993

El trapiche es un molino operado a mano que se usa para sacarle el jugo a la caña de azúcar. Los hombres y las mujeres hierven el jugo de caña para que tenga la consistencia de melaza, después dejan que se solidifique en moldes para hacer un dulce llamado panela. Cabá, 1993

Antes, cuando tenía yo diez años, aquí no había ejércitos, porque el cuartel estaba allí en Quiché o en la capital. Allí estaban amontonados los soldados en el cuartel. Pero cuando comenzó la bulla, ya salieron todos los ejércitos.

Queremos que sea como antes, sin patrullas civiles, sin soldados, tranquilos estabamos en nuestras aldeas. Pero ahora el gobierno sólo mete los ejércitos a matarnos. ¿Acaso somos animales?

Somos indígenas, somos guatemaltecos, pero él está robando nuestras tierras, nuestro país.

Rafael

Siempre la montaña protegía a la gente, pero el ejército iba como infantería y también hubo bombardeo. Bombardearon los lugares donde el ejército miraba humo. Pero siempre la gente preparaba sus túneles para esconderse, un refugio. Cuando venía el helicóptero rápidamente se metían en ese refugio, así que a veces lograban sobrevivir.

Como allá estaba el ejército en el destacamento en Amakchel, también lanzaban morteros. A veces pasaban, a veces nos llegaban. Siempre daba temor a la gente.

Xun

Un promotor de salud comunitaria examina a un bebé en la clínica. Xecuxap, Cabá, 1993

En una emergencia cuando se acercaba el ejército, nos costaba llevar nuestros pequeños así en la espalda, tanto la carga y otros niños que teníamos que llevar, así andando muy despacio... Y en caso muy grave, ya no llevamos casi nada de alimento, sólo los niños sacábamos... Y también había madres que estaban embarazadas y con esa carga y con todo el cuidado de los hijos era bien duro...

Había madres que en plena emergencia tenían que dar a luz, o salir en emergencia en pocos minutos de haber dado a luz, y salir corriendo para no quedarse en manos de los ejércitos. ¡Imagínate! Había madres que tenían que dar a luz sin tener un cubrimiento en su cuerpo, abajo de bombardeos y ametrallamiento...

Teníamos que levantarnos a las dos de la mañana para poder cocinar porque ya de día no podíamos hacer humo. Si el ejército veía el humo, venía con sus aviones y helicópteros y nos bombardeaba. Y por ese temor, teníamos que aguantar sueño para poder lograr tener qué comer en el día...

Cuando el ejército nos estaba persiguiendo, les tapábámos la boca a los niños para que no hicieran bulla. Había que taparlos con un trapo o con la mano, para que no se oyera dónde estábamos. En una ocasión, hubo una madre que apretó a su niño en su pecho, el niño sin poder resollar. Se murió ese niño porque el ejército estaba muy cerca y ella no quería que el niño llorara...

Juliana, CPR del Ixcán

Dos mujeres cuidan el fuego en la cocina comunal y preparan nixtamal, el maíz que molerán después para hacer masa para tortillas. La cocina comunal es usada por visitantes de otras áreas. Tzucuna, región de Cabá, 1993

Celebración del Viernes Santo. Pal, región de Xeputul, CPR de la Sierra, 1994

Región de Cabá, 1993 y 1994

LOS DETALLES

Lo que no saben los soldados,
o lo que se les olvida
son los detalles.

Se les ha olvidado el grito de los niños al
encontrar jocote en las ramas secas de verano.

Se han olvidado del tumulto de
mariposas en el arroyo.

Se les olvidan los dedos tejedores
de sus madres
que atraen los hilos
como si fueran imanes.

Y dicen haberse olvidado
de sus idiomas,
esos universos de palabras
    y amores.

Se les olvida la alegría
de ir a traer mazorca,
pasando por el monte remojado de
    rocío
que al mediodía se desvanece.

También se les ha olvidado
el sabor amargo y humilde
de la hierba mora.

Y ya no se acuerdan
de cómo se baña a un muerto,
trenzándole el pelo
cerrándole los ojos
tapándole las heridas
con pedazos de trapo viejo.

En suma, todo lo que es la vida:
la alegría que no se desvanece,
la tristeza más duradera,
el tumulto de mariposas
    en el arroyo,
todos estos detalles
se les han olvidado.
Y es lo que hoy
venimos a recordarlos.

Heather Dean

Fue bastante difícil. Pero al mismo tiempo fue un momento importante para nuestra vida cuando ya formamos las Comunidades de Población en Resistencia. Había toda una solidaridad, una organización para podernos defender. Uno iba descubriendo el valor de la vida, a pesar del sufrimiento del hambre, de la escasez, de todo, uno quería vivir.

Allá aprendimos a defendernos, aprendimos a organizarnos, y aprendimos a sobrevivir de la nada.

Gaspar

El río Cabá, CPR de la Sierra, Quiché, 1994

En 1990 ya pensábamos que no debíamos quedarnos así, teníamos que salir de ese embudo cerrado. Entonces realizamos una consulta para pensar y discutir lo que teníamos que hacer.

Concluimos que teníamos que salir de aquí porque antes sólo estábamos huyendo. Celebramos la primera asamblea donde salió la declaración política, la resolución de la asamblea para dar a conocer a la opinión pública, nacional e internacional, la existencia de una población que había sido perseguida, bombardeada, masacrada en un área aislada en el norte del departamento del Quiché.

El 7 de septiembre de 1990, cuando salió nuestra declaración, el ejército dio la contrapropuesta que no existía, que los que estaban allí eran guerrilleros.

Don Pablo

Tres ancianos de la comunidad miran desde la oficina principal de las CPR de la Sierra en Tzucuna. Cabá, 1993

Resistimos la represión, las grandes masacres, los bombardeos, el hambre y la enfermedad. Aquí seguimos resistiendo, resistiendo la violencia, la persecución y la intimidación. Seguimos luchando por el reconocimiento como población civil y por la legalización de nuestras tierras. Es una lucha muy dura.

María, CPR de la Sierra, 1993

Susana, Hugo y Juanito nacieron escondidos en la selva. Asentamiento Cuarto Pueblo I, CPR del Ixcán, Quiché, 1994

Las CPR

A principios de septiembre de 1982 estuve recorriendo la frontera de México con Guatemala donde los refugiados guatemaltecos habían salido y seguían saliendo en grandes números hacia el país vecino después de las masacres cometidas por el ejército de Guatemala en los departamentos limítrofes de Petén, Quiché y Huehuetenango. Allí me enteré, siempre estando del lado mexicano, de cómo en Ixcán, Guatemala, se habían arrasado poblados enteros y pude entrevistar a testigos supervivientes de las terribles masacres.

Pero, a la vez que la represión había causado la emigración de cientos de miles de familias hacia México, hubo otra reacción, en cierta forma contrastante con la de los refugiados. Miles de familias decidieron no salir al refugio (o no pudieron salir, por estar lejos de la frontera) sino esconderse en las montañas, en los repliegues de los barrancos, en las altas cumbres, donde quiera que podían estar fuera del alcance de los militares. Así es como se dio origen a las Comunidades de Población en Resistencia (CPR) en tres áreas de Guatemala, en las selvas y serranías del Quiché y en la selva del Petén, con un total de casi veinte mil personas.

Las CPR fueron el producto de la resistencia de millares de indígenas mayas, acompañados de algunos pocos ladinos, ante el ejército que pretendió vaciar el territorio o controlarlo con aldeas modelo subyugadas y militarizadas bajo sus órdenes.

También en mi gira de septiembre de 1982 oí de la existencia de esta población y recibimos, junto con otros, la invitación a trabajar pastoralmente «bajo la montaña». Pude ver entonces cómo comenzó a organizarse esa gente desplazada bajo la selva en un tiempo de enorme persecución y de consiguiente vaciamiento de población de la selva del Ixcán hacia los campamentos de refugiados en México, porque la gente bajo la montaña ya no tenía ropa, ni botas, ni machetes, ni jabón, ni esas cosas que se compran en las tiendas y mercados. Esta fase crítica duró de 1982 a 1984. Los campamentos de refugiados, cuando ya se organizaron, fueron una atracción y también una tentación para la resistencia, y muchos decidieron refugiarse en México.

Pero en 1983 este vaciamiento se detuvo y el movimiento de población se revirtió, cuando México forzó a esos grandes campamentos fronterizos en Chiapas a ubicarse en los estados más lejanos de Campeche y Quintana Roo, con la idea de colaborar con el ejército de Guatemala y quitar ese apoyo a la resistencia. Entonces, muchos refugiados decidieron volver a las CPR y se organizaron los apoyos, siempre civiles, desde México para abastecer a las pequeñas comunidades que cultivaban maíz, frijol, hierbas para la subsistencia, pero necesitaban de los artículos industriales que antes les venían del refugio. Entonces, se organizó internamente el sistema de producción, de defensa, de educación, de higiene y salud, de pastoral y hasta de juegos de una manera sorprendente. Las CPR cambiaron también su mentalidad: ya no estaban bajo la montaña por un plazo supuestamente corto, sino por un tiempo indefinido, que podría durar diez o quince años, aunque no se barajaban números.

Eso era resistir, tener la fe de que algún día saldríamos de la montaña. Usábamos el símil bíblico del arca de Noé. El diluvio era el ejército, la montaña el arca, todos nosotros con nuestros animales y productos, Noé y su familia. Nos movía una gran fe; por esa fe entramos en la montaña y vivimos. Por la fe sabíamos que no nos quedaríamos sin provisiones en esa arca de árboles gigantescos. Por la fe también confiábamos que el diluvio de los bombardeos y los operativos no nos acabarían. Cuarenta días cayeron las aguas sobre Noé, no toda la eternidad. Llegaría el día en que saldríamos al claro, a pisar en paz la tierra seca y recibir el sol en nuestras pieles emblanquecidas.

Pronto esa fe comenzó a generar una esperanza más concreta, de que el día no estaba lejos en que saldríamos al claro. Salir al claro, salir al claro, salir al claro era el estribillo que se oía en el Ixcán. En las otras CPR, la del Petén y la de la Sierra, aunque tuvieron sus procesos específicos, también vivieron la misma esperanza. En la Sierra, que fue la primera en mostrar que esta esperanza era activa, el estribillo fue «romper el cerco». En septiembre de 1990 publicaron el comunicado en que declaraban su existencia como población civil y exigían que el Estado les reconociera los derechos que tenían como tal. Con ese comunicado cortaban los primeros alambres de ese cerco. Todas las CPR hicieron lo mismo: declarar que existían y eran civiles. Luego hubo visitas a ellas, de personalidades y en helicóptero, primero, luego de multitudes y a pie. Poco a poco las CPR se fueron comunicando más libremente con los pueblos vecinos y alguna decidió un día tumbar los árboles que les servían de escondite. En todo este proceso la presencia de cooperantes internacionales funcionó como un escudo humano ante un ataque alevoso por tierra o por aire del ejército.

Entonces se abrió una nueva etapa en este ciclo que había comenzado con las masacres y había seguido con la resistencia en la montaña. Comenzaron a buscar tierra y los apoyos de las iglesias y de las organizaciones no-gubernamentales para comprarla o se negoció con el gobierno para recibirla del mismo, en cada área siguiendo un patrón distinto. Por lo general, las CPR tuvieron que salir de las tierras que defendieron, porque éstas tenían dueño u otras razones, y debieron trasladarse a comenzar nuevos asentamientos en lugares, a veces lejanos y de climas muy diferentes, como algunos de la Sierra que fueron asentados junto a las costas del océano Pacífico. Estos traslados tuvieron lugar entre 1996 y 2000. Esos grupos de familias reiniciaron allí con entusiasmo la construcción material de sus casas y de toda la comunidad y, sobre todo, la organización propia, que les había permitido sobrevivir, eso sí, adaptada a las nuevas circunstancias.

Las CPR tuvieron como parte de su estrategia, ubicar una delegación en la capital de Guatemala para que canalizara las ayudas que necesitaban. De esa manera, algunas de estas comunidades en menos de diez años han dado pasos sorprendentes en términos de desarrollo, si se las compara con otras vecinas que no fueron de la resistencia. Han juntado dos factores que parecen ser clave para el progreso, primero, la organización interna y, segundo, la derivación de recursos y apoyo de fuera.

El último paso del ciclo que mencionamos, ilustrado también en este bello libro de fotografías, es el de las exhumaciones. En cierta manera el ciclo se cierra, porque es volver al recuerdo de las masacres, vívidamente despertado al descubrir bajo la tierra a los familiares en sus posturas como quedaron, con el color de la ropa reconocida, con los objetos que llevaban en la bolsa, un peine, una canica, un lapicito. Entonces, los muertos se levantan y abrazan a los vivos quienes lloran sobre ellos y estos últimos cierran su duelo al cargarlos de los cementerios clandestinos hasta campos santos dignos, debidamente ritualizados con incienso, candelas, cruces, oraciones y suspiros. Los vivos así quedan reconciliados con sus finados. Entierran su sentimiento de culpabilidad. Miles de sentimientos se agolpan contradictoriamente y son fundidos en las lágrimas de los que presencian los enterramientos y vuelven a sus casas con paz en el corazón y con la luz del sol entre los pinos alumbrándoles el futuro.

En estos momentos de gran desesperanza mundial ante la pobreza, la explotación y la guerra continua, el testimonio de las CPR tiene un mensaje universal de fe y esperanza, como lo han estampado con letras coloradas en las camisetas que a veces regalan generosamente a los visitantes de Primavera del Ixcán, el nuevo asentamiento permanente de las CPR del Ixcán: «Resistimos bajo la Montaña—Resistimos a la Política Neoliberal—Seguimos Luchando por un Mundo Mejor». En pocas palabras, las CPR nos enseñan que estamos en una carrera que no es de velocidad, sino de resistencia.

Ricardo Falla
Marzo 2003

Los curiosos y los dolientes observan la recuperación de los restos del joven de veinte años, Domingo. A principios de los ochenta, los aldeanos que se refugiaron en estas montañas sepultaron a más de treinta personas en este cementerio clandestino. Algunos murieron a manos del ejército o los patrulleros civiles (paramilitares), y otros murieron de hambre y enfermedad. Nebaj, Quiché, 2000

Los ataúdes que contienen los restos de víctimas de masacres de los ochenta esperando ser llevados a la iglesia de Nebaj para una misa conmemorativa. Quiché, 2001

Las Comunidades de Población en Resistencia del Ixcán

VIENTO DE TRISTEZA

Ese viento de tristeza
que te sopló los ojos
apagó tu mirada encendida.

¿Quién lastimó tu alegría?

¿Quién?

Humberto Ak'abal

Elena y Juanita, tres semanas después de salir de la selva. La comunidad estaba comenzando a cortar los árboles que les protegían. Asentamiento San Luis, CPR del Ixcán, Quiché, 1994

Juana hace cuatro y cinco viajes al día para traer agua del río. San Luis, 1994

Con la violencia que se desató en 1982 todo se terminó. Se quedó en el silencio porque la población del Ixcán tomó tres caminos. Una parte de la población cruzó la frontera a refugiarse a México o más al norte, lo que es actualmente la población retornada o la población que aún vive en México o en otros países.

Y otra parte de la población no cruzó la frontera, sino que se dirigió a sus pueblos de origen. Porque los pobladores del Ixcán son de diferentes departamentos, como de Huehuetenango, Quiché, Toto, Xela, San Marcos, e incluso algunas áreas de la costa sur. Esa gente regresó a su tierra de origen y se sometió bajo el control del ejército y de las Patrullas de Autodefensa Civil.

La tercera parte de la población que no quiso ir a México, tampoco quiso someterse bajo control militar. Se quedó en la montaña, la población en resistencia, las Comunidades de Población en Resistencia.

Reyna

Cuando se hizo la colonización del Ixcán en los años sesenta y setenta, no había ejército, ni siquiera se escuchaba hablar de la guerrilla. Entonces en el 76 o el 78 se escuchaban los rumores de la guerrilla. Sí, fue en el 76 cuando mataron a un finquero de aquí arriba, Luis Arena. Ya después también fueron secuestradas varias gentes. Posiblemente eran simpatizantes con la guerrilla... ya había llegado el ejército.

Entonces fueron pasando los tiempos y ya después se puso más dura la situación, la guerrilla ya empezó a atacar directamente al ejército. Los soldados amenazaron, mataron algunos, agarraron otros.

El ejército se reorganizó, regresó y empezó a lanzar la tierra arrasada en el 81, en el 82, masacrando a la gente por todos lados, quemando comunidades enteras...

Mi familia, mis papás, pensaban regresar a su pueblo de origen en Huehuetenango... Estaban indecisos, no hallaban qué hacer, si iban para México, para su pueblo, u otro...

Al fin nos quedamos metidos entre la montaña, en medio de la parcela. Allí nos quedamos metidos unos cuantos meses. Pero la política de la guerrilla era que había que unirse a la lucha porque en dos o tres meses ya tomamos el poder. Sí, fui uno de esos que a mí me organizaron... Entonces participé como combatiente.

Entonces mi familia se fue, siempre huyendo a la montaña. Ya en el 83 se empezó a formar lo que iba a ser las CPR, y ellos se quedaron en la CPR. Pero como no había una fuerza que defendiera a la población, ahí diario el ejército pasaba corriendo a la gente. Entonces no se podía. Mi familia tuvo que refugiarse en México... y yo con la guerrilla en la montaña... No los vi de nuevo hasta el 94, cuando retornaron...

José, CPR del Ixcán

▶ Los muertos eran cuñados que fueron capturados por una patrulla paramilitar. A uno lo acribillaron a balazos y al otro lo colgaron. Nebaj, Quiché, 2001

La masacre del 14 de marzo del 82 fue en un día domingo, día de mercado en Cuarto Pueblo. Estaba reunida la mayoría de la gente en el mercado comprando... fue de las 8:30 a las 9:00 de la mañana cuando escuchamos una gran balacera cerca del centro...

Cuarto Pueblo estaba rodeado al noroeste y al norte... Ocuparon todo el bordo, ocuparon las escuelas, las iglesias... Entonces empezaron a abrir fuego en el mercado y en la pista, y mucha gente se huía y gritaba. Pero al mismo tiempo el comisionado militar decía: «No tenemos por qué correr, porque no debemos al ejército. Al contrario nosotros aquí estamos con nuestros documentos y todo. Aquí no debemos a nadie».

Entonces mucha gente se confió con el comisionado militar. Era gente buena, era humilde y se confió mucha gente con él, y se reunieron...

Pero había disparos y todos empezaron a correr y el ejército abrió fuego sobre la gente... todos los tiroteos, y todos los muertos se estaban cayendo... «¡Qué vamos a hacer! ¿Corremos o no corremos?».

Allá arriba estaba lleno de soldados... en el campo algunos caían a balas, otros caían por correr... los niños y las mujeres con sus hijos, iban cayendo. Caían como botar milpa con el aire... caían y gritaban... los heridos, los que quedaban muertos de una vez...

No nos quedaba otro camino que de salirnos... y fuimos, fuimos al monte...

Juan Carlos

CPR del Ixcán, 1994

En 1980 o 1982 cuando fue la política de tierra arrasada en Ixcán, yo apenas tenía doce años y tuvimos que refugiarnos bajo la montaña. Pero para mis criterios ahora, mi punto de vista, no fue en el 80 que se empezó la violencia, por lo que ahora conozco de la historia de Guatemala la historia de Centroamérica. Es cuando fue la invasión a Guatemala, cuando fue conquistada América. Desde entonces para mí, desde ahí nace la injusticia, la violencia, la explotación, la discriminación…

Reyna

◀ Llevando productos de un asentamiento a otro en la selva. CPR del Ixcán, 1994
▲ En la cocina comunal. Asentamiento San Luis, CPR del Ixcán, 1994

Mis papás se dividieron en dos partes, porque mi mamá y mis hermanos no querían ir a refugiar a México. Mi mamá dijo no... ni a México, ni al pueblo de origen, sino ella se decidió quedar en la resistencia. Mi papá quería irse a México. Y mi mamá, yo la valoro en ese aspecto, tuvo valor, y tomó el camino de la CPR. Y yo me alcé en armas.

Fui con la guerrilla en el 82. Era una niña. La niñez, la época de la adolescencia, lo pasé en la guerrilla...

La verdad, no tenía una conciencia real, muy profunda de lucha, porque era muy niña... para mí fue un escape. Pero gracias que pensé tomar ese camino, porque estando en la montaña, junto con mis compañeros de guerra, pude cultivar la conciencia, del por qué se estaba viviendo esa situación.

Angelina, CPR del Ixcán

María carga madera que acaba de cortar en la selva para construir una nueva casa para su familia. San Luis, 1994

Nos defendíamos durante todo ese tiempo por organizarnos en grupos. Ya no vivimos familia por familia, sino por grupos, y pusimos nuestro control. Alrededor del grupo pusimos vigilancia, vigilancia fija, y vigilancia móvil. Y eso nos ayudó para darnos cuenta si el ejército venía, y si venía nos salíamos o cambiábamos de lugar.

Para los bombardeos hicimos nuestro refugio, abríamos hoyos en la tierra, poníamos palos gruesos encima y lo enterrábamos nuevamente y sólo en esa manera nos podíamos defender.

Cuando teníamos enfermos, nosotros mismos los curábamos. Conseguíamos algunas medicinas o con medicamentos tradicionales, con hojas o raíces de árboles. Ya en el año 86, 88, recibimos las pequeñas ayudas de la solidaridad internacional y compramos un poco de medicina. Pero cuando teníamos enfermos graves o cuando algunos de nuestros compañeros fueron heridos por los bombardeos o salieron baleados, los sacamos a México a curación.

Mario

Al igual que todas las otras familias lo han hecho, Andrés excava un refugio cerca de su casa para protegerse en caso de bombardeos. Asentamiento San Luis, 1994

Las Comunidades Populares en Resistencia del Petén

Somos de las Comunidades Populares en Resistencia del Petén. Somos desplazados internos por la represión que se desató en la década de los ochenta. Eso nos obligó a desplazarnos hacia la selva para poder sobrevivir. Porque si no hubiera sido de esa manera, no estuviéramos contando la historia. Algo nos hubiera pasado. La selva nos sirvió como una protección para nuestras vidas.

No queríamos morir ni ultimados a balazos, ni torturados, asesinados o desaparecidos. Hubiéramos preferido morir de hambre antes que ser torturados… Si los del ejército te agarran, te matan…

Eran momentos muy duros porque no había comida, no había calzado, no había vestuario, todo lo necesario. Era un momento bien difícil porque cuando uno se sentía tranquilo el ejército llegaba a los lugares donde uno estaba acampado y no nos quedaba de otra que salir huyendo para que no nos agarraran y nos mataran.

Salíamos huyendo a otros lugares y no había un lugar estable. Estábamos ocho días o cinco días o quince días en un lugar y luego cambiábamos a otro lugar. Uno sembraba un poco, y tal vez lograba crecer la milpa y echar su producto, pero cuando llegaba el ejército, si estaba chiquita la arrancaban y si estaba grande ya con maíz, la cortaban y la pegaban fuego. Entonces sufríamos con la comida, porque no había maíz no había frijol…

Catarina, CPR del Petén

Rodrigo y su hijo. Asentamiento La Esmeralda de las CPR del Petén, 1995

En la tarde, Daniel regresa de trabajar en una de las pequeñas parcelas de tierra que se encuentran escondidas entre los asentamientos de Albeño y Fajardo, y donde la gente, en forma colectiva, cultiva maíz. CPR del Petén, 1995

Hugo regresa al asentamiento con hojas secas de palma para ponerle techo a su ranchito. Albeño, 1995

CAMINO AL REVÉS

De vez en cuando
camino al revés:
es mi modo de recordar.
Si caminara sólo hacia adelante,
te podría contar
cómo es el olvido.

TZ'OLQ'OMIN B'E

K'o kuriqa'
kintz'olq'omij ri nub'e:
xa jewa' kinna'tisaj jun jasach.
Weta xata nutukel kinb'in chonuwach
in kwin nek'uri kinb'ij chawe jas
ri', ri ucholaj ri sachib'al.

Humberto Ak'abal

▶ A principios de 1982, el ejército llegó a la cooperativa en Chimaltenango donde Gabriel trabajaba. Los soldados comenzaron a masacrar indiscriminadamente a la gente que vivía allí. Gabriel y otros dos hombres lograron escapar, escondiéndose en las montañas cercanas. Varios días después, cuando regresaron a la comunidad, encontraron los cadáveres de sus familiares, que estaban siendo devorados por los perros. También vieron los cuerpos decapitados de niños pequeños. Fue entonces que él se fue al Petén, un departamento alejado y poco poblado. Allí escuchó que campesinos pobres estaban formando cooperativas agrícolas en tierras baldías de la selva. Finalmente se asentó en una cooperativa recientemente establecida en la comunidad cooperativista de Las Josefinas. En menos de dos semanas, el ejército llegó una mañana bien temprano y masacró a todos los que no pudieron escapar. Gabriel y otras personas huyeron hacia la selva cercana, donde se refugiaron por meses, frecuentemente moviéndose de un lugar a otro. Así fue como él y los sobrevivientes de otras masacres que se encontraban dispersos, se juntaron y se organizaron con el nombre de Comunidades Populares en Resistencia del Petén. 1995

A partir de que los soldados sacaron a mi hermano, ya no vivimos en nuestra comunidad. Tuvimos que pasar por montañas y montañas y quién sabe adónde íbamos. En esa huida íbamos bastantes de la comunidad. Al fin nos encontramos con unas gentes que eran supuestamente de la guerrilla. Les contamos nuestra historia, lo que estaba pasando en nuestra aldea. Y les dijimos que teníamos que salir porque el ejército estaba sacando a muchos hombres ahí.

Teníamos que irnos con ellos porque únicamente ellos eran los que conocían las montañas. La montaña adentro es la casa de ellos... Nos llegaron a dejar donde había otra población que había salido de otras comunidades... Había muchas mujeres, niños. Nos dijeron: «Bueno aquí van a vivir, aquí van a estar con ellos, y las normas aquí son éstas y éstas, porque aquí no se puede hacer bulla, no se puede hacer humo, ni nada».

A fines del 81 nos acoplamos a las normas y a los tiempos. Daba lástima porque los niños en sus aldeas estaban acostumbrados a comer frijoles, y tenían sus vacas, entonces a tomar leche, crema o café. Ahí no había nada. Lo único que había, lo que se le daba a los niños era un guineíto.

El ejército ya nos estaba llegando hasta donde estábamos. Tuvimos que salir de ahí. Caminamos como un día con niños y todo, y nos fuimos a acampar en un lugar donde había agua para beber. Porque siempre se buscaba donde hubiera agua. Comíamos muchos cogollos de escobo, muchas plantas. Cuando los compas conseguían alguna cosa de comer, como carne de monte, así como coche de monte o tepezcuintle, conseguían sólo para los niños porque ellos lo necesitaban más.

Se nos murieron muchos niños. Murieron niños de desnutrición, se hincharon... Se nos murió un anciano también. Después tuvimos que salir otra vez, porque el ejército ya venía. Murió una compañera, tal vez por huir se fue a chocar con el ejército. La mataron. Ella quedó ahí...

Ya después nos dieron una orientación que toda la población que tenía niños, las mamás que tenían niños, tenían que irse para México... Entrenamiento se dio a mujeres con niños, cómo sacar a los niños a la hora de que nos cayera el ejército, cómo evadir al ejército... Y entonces salieron las familias para México.

Yo no tenía niño en ese tiempo, entonces no salí. Y todas las patojas que tenían catorce años tenían que quedarse. Fue una violación también a los derechos, porque las patojas ya no podían irse con sus mamás. Sí, a las patojas y a los patojos que tenían catorce años, que ya aguantaran un fusil, era obligatorio quedarse para tomar un arma...

Después me acompañé con el papá de mis patojos grandes cuando andábamos huyendo. Ya tenía dieciséis años. Tuve mis hijos entre la pura montaña. Con ellos sufrí mucho... corríamos del ejército.

Cuando nuestros maridos no entienden, es una situación muy dura, porque hay un método como no poder tener mucha familia... pero siempre hay algunos machistas que piensan que las mujeres no pueden tomar un método porque entonces son de la calle. Hay muchos hombres que tienen esa idea, aunque miren que estamos sufriendo, la mujer tiene que tener todos los hijos que Dios le dé. Yo tuve mis tres hijos en la montaña, tuve que salir a todas horas a correr porque el ejército nos caía entre la montaña.

Aura, CPR del Petén

Un pescador con lanza. Asentamiento La Esmeralda, 1995

En el 93, al año de estar allí, yo tenía quince años, y casi no tenía la noción de qué estaba pasando en Guatemala. Simplemente por estar en un rinconcito muy aislado del país, muy pegado a México. Que yo recuerde sólo sabía que había guerra, que existía la guerrilla y existía el ejército, y que estaba yo en la montaña. Porque si salíamos de allí, de repente nos cachaban y nos mataban o nos secuestraban. Entonces allí ya me fui acostumbrando a la vida en la montaña.

Qué feo... uno no se siente libre, siente que hay algo que lo tiene inquieto. Porque no podíamos salir si no era un grupo, y en grupo teníamos que andar y regresar... no podíamos, no debíamos de hacer tanta bulla, ni salir a pajarear, ni a nada que arriesgara que de repente nos podía pasar algo... La inseguridad no nos dejaba tranquilos.

Samuel

▲ La carne de este cocodrilo fue distribuida entre los habitantes de la comunidad. La Esmeralda, CPR del Petén, 1995
▶ En las cercanías de Albeño, 1995

Tenemos derecho a la vida, tenemos derecho al trabajo, tenemos derecho a la educación, tenemos derecho a la salud. Tenemos derecho a vivir tranquillos…

    Entonces aquí estoy con mi familia y seguiremos resistiendo, seguiremos luchando.

Doña Susanna

Ahí vivíamos juntos, unidos. Si a alguien le pasaba algo, estábamos ahí como que era para nosotros. Lo sentíamos todos. O si moría uno, lo llorábamos como si hubiera sido nuestro hermano. Si un niño se moría de hambre, nos daba tanta pena como si fuera nuestro niño. Qué triste ver la muerte de un niño de hambre.

José Luis, CPR del Petén, 2001

Rudi lava ropa en el río Esmeralda, 1995

Reyes, promotor de educación en el asentamiento de Albeño, prepara lecciones escolares para los niños, 1995

Julia lleva agua a su comunidad, por el camino entre los asentamientos Esmeralda y Fajardo, 1995

«Hoy se firma la paz.» Ciudad de Guatemala, 29 de diciembre de 1996

Huellas en la historia:
un documental de la memoria

Muchas de las fotografías de Jonathan Moller sobre exhumaciones fueron tomadas en Nebaj, región del triángulo Ixil. Ese lugar fue escenario de numerosas masacres y otras violaciones de derechos humanos (ejecuciones, torturas, violaciones...) cometidas por el ejército de Guatemala a lo largo de treinta y seis años de guerra civil. Esa guerra, dirigida al principio contra la guerrilla marxista, pronto se convirtió en una guerra contra el pueblo guatemalteco, y se libró con mayor brutalidad en la década de los ochenta contra la mayoría maya y campesina del país. En 1996, el conflicto armado terminó finalmente con las negociaciones de paz y en 1999 la comisión de la verdad patrocinada por la ONU acusó al ejército de haber cometido actos de genocidio contra la población indígena del país.

Recuerdo especialmente las fotografías de Nebaj, porque en los ochenta acompañé a otra fotógrafa y activista de derechos humanos, mi amiga Jean-Marie Simon, en algunos de los muchos viajes que hizo a Nebaj durante esos años. En 1987 Jean-Marie publicó su extraordinario libro de fotografías, *Guatemala, eterna primavera, eterna tiranía*. Hoy, casi veinte años más tarde, Jonathan Moller nos trae otro libro extraordinario.

Es conmovedor y extraño ver un libro y después el otro. El de Jean-Marie, en colores vivos, lleno de imágenes de brutalidad estridente, terror, pánico, inocencia y un sufrimiento inmediato y abrumador, nos hunde de nuevo en algo que parece un presente caótico y eterno. El de Jonathan, en un blanco y negro austero, sereno y penetrante, parece mirar atrás en el tiempo, como si fuera un rayo X arqueológico o espiritual que puede ver dentro del corazón de esas imágenes de más de dos décadas y revelar su significado final. Aquí, entre las fotos en color de Jean-Marie, está la de una mujer indígena con expresión aterrorizada y a quien se llevan en la parte trasera de un camión militar. Después, entre las de Jonathan, en blanco y negro, están sus restos, huesos y harapos, siendo exhumados de una fosa llena de lodo. La fotografía muestra las manos cuidadosas, vivas, casi dolorosamente desnudas, arañando los esqueletos enterrados en el barro; manos que, a través de la cámara de Jonathan, se sienten como propias. Ahora sabemos lo que ha pasado, no podemos negarlo, lo tenemos en las manos. ¿Cuál es su significado? ¿Qué están esas manos realmente tratando de rescatar? Los huesos de una mujer campesina no son la justicia, pero narran una historia, recrean un asesinato. La voz humana ha desaparecido, pero los huesos denuncian a voces el crimen. ¿Podríamos soportar oír a un Reagan o un George Bush justificando esto ahora, de la misma forma en que entonces muchas voces estadounidenses lo hicieron, diciendo que es el precio exagerado y tal vez inevitable de la grandiosa causa llamada «seguridad nacional»? ¿Democracia? ¿Libertad?

Esas administraciones estadounidenses le dijeron al mundo que el ejército de Guatemala estaba luchando por las libertades democráticas, pero ese ejército nunca luchó por nada excepto el poder. En el nombre del anticomunismo, Estados Unidos apoyó a los militares guatemaltecos, ayudándoles a hacerse ricos y violar la ley, volviendo la vista ante cualquier evidencia de la verdadera naturaleza de su creación, su monstruoso Frankenstein.

En 1954, a petición de una compañía bananera de Boston, la United Fruit Company (UFCO), y sus aliados en el Departamento de Estado de EE.UU., la CIA planeó el golpe que derrocó al gobierno democráticamente elegido de Jacobo Arbenz, y colocó en su lugar a un déspota militar. Así comenzó un nuevo período de la historia guatemalteca, durante el cual las élites económicas y políticas fomentaron las dictaduras militares, creando de esa forma la máquina de brutalidad que traería opresión y sufrimiento constantes al pueblo guatemalteco.

Como respuesta a esa situación, a principios de los sesenta, jóvenes oficiales reformistas del ejército formaron los primeros grupos guerrilleros. Esta rebelión fue aplastada con éxito, pero en los setenta se formaron nuevos grupos guerrilleros que más tarde se propagaron entre las comunidades mayas del Altiplano. Una de sus reivindicaciones principales era la reforma agraria.

En la primera mitad del siglo XX, la UFCO fue la entidad terrateniente más grande en Guatemala. Durante más de cuatro siglos el pueblo maya había sido oprimido y expulsado de sus tierras ancestrales, primero por los invasores españoles, después por las élites adineradas de la nueva república y luego por la compañía frutera gringa. En las siguientes décadas de dictadura militar, el mismo ejército se dedicó a robar enormes extensiones de tierra, lo que sumió a los mayas aún más en su profunda pobreza. Aún hoy, Guatemala tiene una de las distribuciones más desiguales de tierra, riqueza y poder en las Américas.

En noviembre de 2002, José Rubén Zamora, fundador y editor de *El Periódico* en la ciudad de Guatemala y periodista reconocido internacionalmente por su extraordinaria valentía y su aparente suerte divina –ha sobrevivido a tres intentos de asesinato–, publicó un artículo fruto de años de investigación. Éste comienza con la simplicidad de una leyenda negra: «A finales de los setenta, el ejército estableció una nueva organización para detectar la importación de armas y municiones destinadas a las guerrillas guatemaltecas. Con el transcurso del tiempo esta organización, paralela al Ministerio de Finanzas Públicas, extendió sus tentáculos y penetró otras instituciones clave del Estado, lo cual sirvió de plataforma para el lanzamiento exitoso de operaciones de contrabando, robos de envíos de café, tráfico de narcóticos, tráfico de inmigrantes, robos de automóviles, secuestros y asaltos a bancos, entre otras actividades poco ortodoxas».

Aunque ya en 1982 la guerrilla esencialmente había sido derrotada desde el punto de vista militar, los años siguientes, hasta los Acuerdos de Paz, «sirvieron de cortina de humo tras la cual esta organización convirtió el Estado de Guatemala en un Estado criminal que se dedicó con completa impunidad a atacar a los guatemaltecos».

Anteriormente, con frecuencia, se han hecho acusaciones similares sobre la existencia de poderes criminales paralelos, con orígenes en los organismos de inteligencia del ejército. Nunca antes se había hecho una descripción tan precisa del desarrollo y estructura de esas organizaciones y de su penetración en cada nivel de la sociedad militar y civil guatemalteca, incluso identificando el nombre de sus participantes. En julio de 2003, doce matones a sueldo, enviados por el gobierno, irrumpieron en el hogar de Zamora, y delante de su esposa e hijos, lo aterrorizaron con armas de fuego. Le obligaron a desnudarse y a permanecer de rodillas durante dos horas.

El ejército guatemalteco nunca luchó por la democracia, luchó para preservar y fortalecer el control de su mafia militar asesina sobre el poder real. Su reino fue el del terror y la brutalidad. A lo largo de cinco años, a principios de los ochenta, el ejército desató una campaña militar de «tierra arrasada», durante la cual más de doscientos mil civiles fueron asesinados o desaparecieron y más de quinientas aldeas fueron completamente borradas del mapa.

El ejército guatemalteco genera la energía maligna que se percibe en la mayoría de estas fotografías. Este hecho relevante e inmutable de la historia, y su control sobre el poder real guatemalteco está perfecta pero brevemente descrito en la verdadera «leyenda negra» de Zamora.

¿Qué estaba pasando en Nebaj allá por 1984, cuando visité a Jean-Marie? El cuartel militar se había apoderado de la iglesia del pueblo. Una de sus fotografías muestra un nido de ametralladoras en el campanario.

Un grupo de monjas se había quedado dentro de la pequeña sacristía. La iglesia estaba rodeada de corrales llenos de refugiados, en su mayoría mujeres y niños, forzados por el ejército a bajar de las montañas. Las monjas se encargaban de alimentarlos; recuerdo que cuando iban al mercado a comprar platos de plástico, que los había de todos los colores, rehusaban comprar los verdes como forma de protesta silenciosa contra los militares. Las monjas estaban inquietas y temían que algunas de las jóvenes indígenas que iban a la sacristía a trabajar –a cortar madera, hacer tortillas, etc.– fuesen espías militares. Una noche, una de las monjas colocó una pequeña grabadora sobre la mesa del comedor y puso una cinta en la que se escuchaban los gritos ahogados de un hombre mientras era torturado por los soldados al otro lado de las gruesas paredes cubiertas de cal.

Con el tiempo, muchos de estos refugiados fueron transportados en camiones militares a las «aldeas modelo», campos de detención cercados localizados fuera del pueblo. Recuerdo que a veces nos atrevimos a caminar por el camino embarrado, sabiendo que el caos asesino reinaba en las montañas y barrancos aledaños. Desde el camino, los soldados señalaban lo que según ellos era la ondeante bandera roja y negra del EGP.

La guerrilla no era suficientemente fuerte para luchar por una victoria militar, pero constituía una amenaza lo bastante seria como para darle un pretexto a la despiadada campaña de contrainsurgencia que hizo blanco especialmente en la población civil. ¿Apoyaban a la guerrilla los campesinos que trataban de escapar de la violencia? Probablemente alguna vez, una parte de ellos lo hizo, o lo había hecho. Pero me repugna acordarme de algunas de las historias que escuché de varios de los refugiados indígenas hambrientos acerca de cómo la guerrilla, presa del pánico y derrotada, les vendía pequeñas bolsas con sal. ¡Así es cómo la guerrilla nadaba en el mar revolucionario de sus seguidores campesinos! ¡En vez de ofrecer comida, por no hablar de protección contra la brutalidad militar, se dedicaba a correr de acá para allá vendiendo paquetitos de sal por un centavo! Parece un detalle cruel en una novela de Conrad. ¡Sal! ¡Sal! ¡Vendiendo sal en medio de las masacres! Por supuesto que los guerrilleros fueron responsables de una proporción, aunque relativamente pequeña, de ejecuciones.

Esos barrancos y pendientes cubiertas de pinos, envueltas en grises neblinas, ocultaban a los refugiados que escapaban. Algunos de ellos debieron de alcanzar las recónditas Comunidades de Resistencia en lo más profundo de la selva, documentadas en las fotografías de Moller; otros terminaron en fosas anónimas.

Estas jóvenes indígenas, impertérritas, de ojos oscuros, asustadas, sonrientes, burlonas o llorosas, que siempre rodeaban a los visitantes extranjeros en Nebaj... ¿Son algunas de ellas las mujeres ya maduras que ahora lloran lágrimas guardadas durante veintiún años junto a las fosas de exhumación, y que preparan esas hermosas ceremonias de dolor y recuerdo, lo que algunos observadores llaman el comienzo de la reconciliación?

Francisco Goldman
Marzo 2004

Cultivos de maíz en el Ixcán, 1996

El nuevo reasentamiento de la comunidad de Turranza, establecido en 1999 para cien familias que estuvieron escondidas en la selva con las CPR de la Sierra. Nebaj, Quiché, 2000

Las Comunidades de Reasentamiento Permanente

Uno acá puede tener un pedazo de tierra, pero ante toda la división en el país, las constantes amenazas y presiones, hay bastante inseguridad.

A pesar de eso, hoy más que nunca valoramos todo lo lindo que es la vida. Uno debe cuidar la vida.

Pedro, CPR del Ixcán

Dos hombres trabajan la tierra donde sembrarán un poco de milpa. Por medio de estipulaciones contenidas en los Acuerdos de Paz para el reasentamiento de los desplazados por la violencia, se le otorgó a cada familia un terreno pequeño, con una casita sencilla sin piso y una parcela pequeña para poder hacer cultivos. Algunas personas también cultivan en terrenos pertenecientes a familiares o amigos localizados en comunidades vecinas. Entre los habitantes, pocos pueden alquilar tierras adicionales para el cultivo, y muchos se ven obligados a migrar cada temporada hacia la costa sur para trabajar cortando caña de azúcar, o cosechando café en las grandes plantaciones. Comunidad de Turranza, Nebaj, Quiché, 2000

El primer día de clases en la nueva comunidad del «Tesorito» Nueva Esperanza. Patulúl, Suchitepéquez, 2000

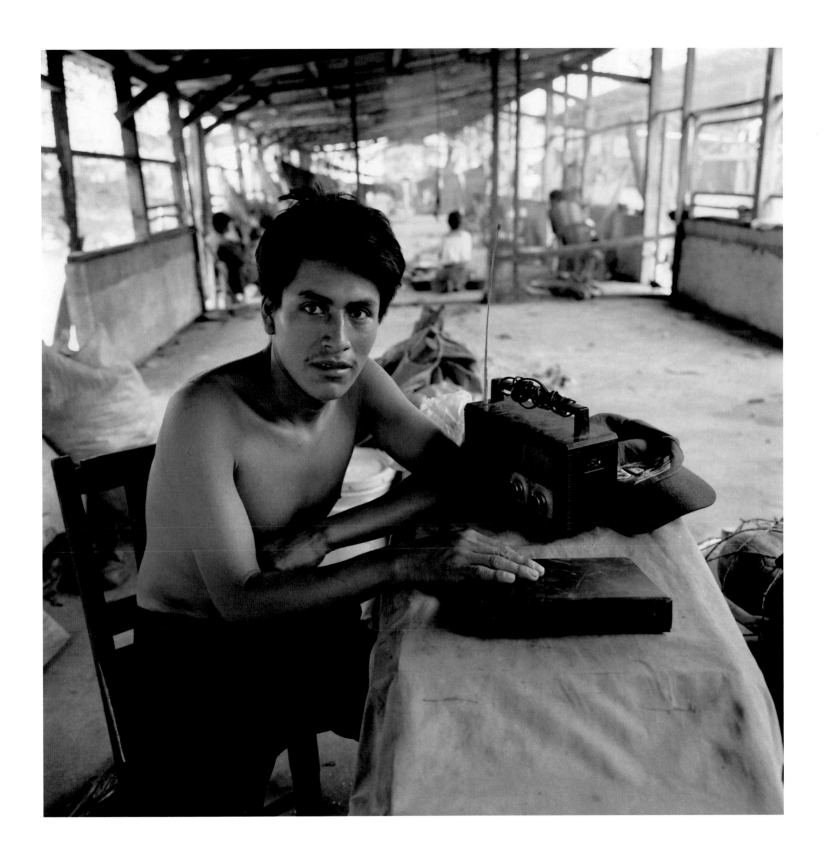

Sinovio sentado en el edificio de la vieja plantación en El Tesoro Nueva Esperanza, dos semanas después de que 180 familias de las CPR de la Sierra se reasentaran allí. Por medio de los Acuerdos de Paz, negociaron su derecho a reasentarse permanentemente en esta vieja plantación de caña de azúcar en la costa sur. Ésta es una de ocho nuevas comunidades de gente de las CPR de la Sierra, 2000

Turranza, Nebaj, Quiché, 2000

Doña María y su hija María. Tesorito, 2000

La comunidad reasentada Unión Victoria de las CPR de la Sierra, cerca de la costa sur. En diciembre de 2000, 86 familias de las regiones de la sierra de Santa Clara y Cabá viajaron para reasentarse en esta vieja plantación de café. La tierra abandonada en este lugar es de poca calidad y las plantas de café muy pobres. Lo peor es que el precio que los pequeños productores reciben por el café es muy bajo. Debido a los vientos fuertes y la mala calidad de la tierra, la gente no ha tenido ninguna buena cosecha de maíz desde que llegaron. Para poder alimentar a sus familias, la mayoría de los hombres se ven forzados a trabajar en las plantaciones cercanas. Municipio de San Miguel Pochuta, Chimaltenango, 2003

Un niño carga a su hermanito enfermo en la espalda. Unión Victoria, San Miguel Pochuta, Chimaltenango, 2003

Don Manuel estuvo con las CPR de la Sierra entre 1984 y 1998. En 1998 regresó a su aldea de origen en el municipio de Nebaj y reclamó la casa y el terreno que había abandonado dieciséis años atrás. Nebaj, 2003

El juego del ejército ahora es mantener influencia. Mantener influencia y evitar que entren más sectores populares acá...

Y el interés de ellos es recuperar una buena imagen después de todo lo que pasó. Vienen y quiebran las piñatas, echan unas jugadas, invitan que vayan cada poco allá en la zona militar, los fines de semana, o en el Día del Ejército, y les demuestran lo que tienen. O sea, olvidarse del pasado.

José Manuel, CPR del Ixcán

Esteban con Laura, su hija enferma. Detrás de él se ve un cartel de campaña política para las elecciones presidenciales de 1999. Aproximadamente trescientas familias de las CPR del Ixcán fueron reasentadas en esta comunidad, a la cual la bautizaron con el nombre de Primavera del Ixcán, después de abandonar sus refugios en la selva a finales de 1996

La historia de la CPR es grande. Lo que pasa es que cuando yo era patoja no le ponía mucho interés. Pero yo ahora sí, ya me estoy dando cuenta. Incluso he estado tratando de decir a mis patojos la importancia que es de estar organizado. Porque si no nos hubiéramos organizado, no hubiéramos podido sobrevivir.

Mantenernos organizados para poder sacar cualquier tarea o cualquier problema que hay entre todos, así lo solucionamos. Pero si cada quien agarra por su cuenta, no vamos a salir adelante.

Eusebia, CPR del Petén

Un grupo de amigos y vecinos se reúnen para construir uno de los primeros hogares permanentes en Primavera del Ixcán, 2000

Petrona lava ropa en el río Chixoy. Cinco semanas después de tomar esta fotografía, ella murió dando a luz. Si en la comunidad hubiera habido un cuidado de salud adecuado, es muy posible que hubiera sobrevivido. Primavera del Ixcán, 2000

José Adán y sus dos hijos sentados en la orilla del río. Varias semanas después los niños perdieron a su madre y José Adán se quedó viudo cuando su esposa Petrona murió dando a luz. Primavera del Ixcán, 2000

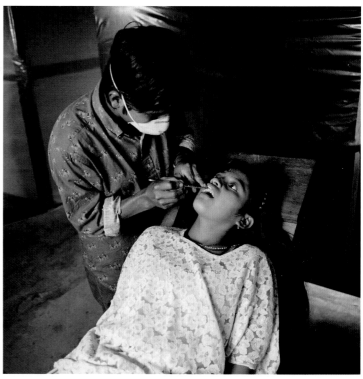

Primavera del Ixcán, 2000

Después de un baño, Juliana le revisa el pelo a su hijo para ver si tiene piojos. Primavera del Ixcán, 2000

Río Chixoy, Ixcán, Quiché, 2000

118

Estas lanchas transportan gente de otras comunidades o las cruzan a la otra orilla del río para que puedan ir a trabajar la tierra en el otro lado. Primavera del Ixcán, CPR del Ixcán, Quiché, 2000

Yo pienso que sí aguantamos. Yo pienso que sí vamos a tener un buen futuro… Para tener algo uno tiene que sufrir, tiene que aguantar. Y pienso que si conseguimos proyectos productivos y le echamos ganas para que esto salga adelante, pues con el tiempo tal vez vamos a tener una mejor casa donde vivir, un mejor centro de salud, mejor alimentación, mejor calzado, vestuario, todo.

Eusebia, CPR del Petén

Junto con otras, estas mujeres barren la comunidad cada dos semanas. A finales de 1998, después de negociar su reasentamiento con el gobierno, 92 familias de las Comunidades Populares en Resistencia del Petén abandonaron sus refugios en la selva y se trasladaron a estas tierras. Comunidad de Salvador Fajardo, Finca Santa Rita, La Libertad, Petén, 2001

La otra etapa ha sido el traslado para acá. Cuando empezamos a platicar con el gobierno, nos dijeron que en la biósfera maya, allí en la sierra Lacandona donde estábamos, no es permitido que hayan asentamientos humanos. Entonces no fue posible quedarnos allá. Se formó una comisión que fue a negociar con el gobierno, y así surgió la negociación.

Estuvieron dos años negociando esta tierra, cuando al fin se logró comprar esta finca, Santa Rita. Luego se hicieron los techos mínimos, el pozo, y ya después en 1998 nos trasladamos para acá.

Pero aquí es diferente, porque allá vivíamos en núcleos familiares, estaban formados los núcleos por tres o cuatro familias y el trabajo era entre todos. En cambio, aquí no.

Ya son problemas diferentes, pero estamos luchando todavía para mantener esa unidad, para que no se pierda el trabajo en común. Porque si lo perdemos, se queda toda nuestra historia olvidada... y no queremos que se pierda eso porque muchos compañeros han muerto y no debemos olvidarlos. Tenemos que tener presente esa sangre que se derramó. Ellos también querían ver un futuro para los niños, pero no lo alcanzaron a ver.

Catarina

◄ Pablito. La Esmeralda, CPR del Petén, 1995
▲ Chus. Comunidad de Salvador Fajardo, CPR del Petén, 2001

Como parte del trabajo comunal hecho por casi la mitad de las familias de la comunidad, don Santiago y otros hombres cultivan y cosechan frijoles. Ellos dividen el trabajo y los productos de la cosecha equitativamente, de acuerdo al modelo cooperativista que practicaban cuando estuvieron refugiados en la selva. Comunidad de Salvador Fajardo, 2001

Tío Pedro. Comunidad de Salvador Fajardo, 2001

Cuxín

Allí había nacido, allí había dado sus primeros pasos.

Cuando Rigoberta volvió, años después, su comunidad ya no estaba. Los soldados no habían dejado nada vivo en la comunidad que se había llamado Laj-Chimel, la Chimel chiquita, la que se guarda en el hueco de la mano: mataron a los comuneros y al maíz y a las gallinas; y los pocos indígenas fugitivos tuvieron que estrangular a sus perros, para que no los delataran los ladridos en la espesura.

Rigoberta Menchú deambuló por su tierra alta a través de la niebla, montaña arriba, montaña abajo, en busca de los arroyos de su infancia, pero ninguno había. Estaban secas las aguas donde ella se había bañado, o quizá se habían marchado lejos, las aguas rojas de sangre, lejos.

Y de los árboles más añosos, que ella creía alzados para siempre, sólo quedaban restos podridos. Esas ramas poderosas habían servido para atar las horcas, y esos troncos habían sido paredones de fusilamiento; y después los árboles se habían dejado morir.

Y siguió Rigoberta caminando en la niebla, niebla adentro, gota sin agua, hojita sin rama: buscó al cuxín, su muy amigo, lo buscó donde él vivía, y no encontró más que sus raíces secas al aire. Eso era todo lo que quedaba del árbol que en sus años del destierro la visitaba en sueños, siempre frondoso de flores blancas de corazón amarillo. El cuxín había sido salpicado por la sangre de sus queridos y había envejecido en un ratito, dolido de ellos, y se había arrancado a sí mismo con raíz y todo.

Eduardo Galeano

San Mateo Ixtatán, Departamento de Huehuetenango, 1997

Las exhumaciones

HABRÁ LLEGADO LA HORA

Cuando en mi devastado país
la primavera
decida que ya es tiempo
de florecer de nuevo,
tendrá el abono
de la osamenta humana
que dispersó en todos lados
la danza de la muerte.

Entonces,
toda la cruda historia:
la sitiada,
la oral,
la clandestina,
se erigirá sobre el mapa.

Habrá llegado la hora
de aproximar a la tierra
el corazón y el oído
para escuchar las voces
que hemos estado evocando
contra cualquier ley de olvido.

Francisco Morales Santos

Líderes comunitarios ofrecen una oración al inicio de una exhumación en el sitio de un cementerio clandestino localizado en las montañas cercanas a la población de Nebaj, Quiché, 2000

La verdad una vez despierta, no vuelve a dormirse.

José Martí

Cuando murió mi mamá no podía pensar en su muerte, sólo pensaba cómo sobrevivir, qué comer, cómo cuidar mis hermanitas. Después cuando salimos a la luz pública me vino una gran tristeza. Con mi hermano venimos a buscar el lugar donde estaba enterrada. Nos costó encontrarlo. La gente aquí nos decían: «¿Por qué ustedes no sacan a su mamá de ahí, cuando pasamos la oímos gritar o a veces llorar o chiflar?». Cuando escuchamos que la Iglesia iba a realizar exhumaciones fuimos a hablar con los hermanos para pedir la exhumación de nuestros familiares.

Juana

Dos hermanas observan cómo exhuman los restos de su madre y sus cuatro hermanitos. Un día de agosto de 1982, las hermanas vieron cómo soldados del ejército ametrallaron a sus familiares. Ellas lograron escapar y pasaron catorce años escondidas en las montañas con la CPR de la Sierra, antes de ser reasentadas en una nueva comunidad y pedir (más tarde) que se exhumaran los restos de sus seres queridos. Cercanías de la aldea San Francisco Javier, Nebaj, 2000

Hacia la verdad y la reconciliación

En el camino hacia la paz y la reconciliación, los sobrevivientes de la represión y la tortura, incluyendo a las CPR, han comenzado a recuperar los restos de sus seres queridos que fueron masacrados o desaparecidos.

El proceso de las exhumaciones ha permitido a los sobrevivientes comenzar a recuperarse. También les ha dado la oportunidad de exponer la verdad, proporcionando evidencia concreta de las atrocidades cometidas durante la guerra. Frecuentemente, las familias sobrevivientes eligen buscar la justicia, para unirse a las acciones legales contra los responsables, muchos de quienes aún están libres y, en algunos casos, todavía en el poder.

En las décadas previas a la firma de los Acuerdos de Paz, el gobierno y el ejército atacaron a aquellos que luchaban por una vida más digna, o denunciaban las injusticias que eran, y aún son, tan comunes en la sociedad guatemalteca. El ejército silenció a decenas de miles de gentes mayoritariamente pobres e indígenas, simplemente porque el gobierno consideraba que potencialmente podrían convertirse en guerrilleros enemigos de las élites económicas, el Estado y el statu quo. Por muchos años el gobierno escondió la verdad sobre estos asesinatos y masacres, en la misma forma que había enterrado la esperanza de una mejor vida y la lucha por cambiar Guatemala.

Desde el año 2000 un movimiento de ciudadanos (que aún sigue creciendo) ha buscado la justicia y confrontado la impunidad. Las exhumaciones han jugado un papel clave en ese esfuerzo. Sintiéndose amenazados, los perpetradores han respondido desatando una nueva ola de asesinatos políticos y amenazas de muerte. Cuando escribí estas líneas, siete años después de la firma de los Acuerdos de Paz, el ejército y sus fuerzas clandestinas aliadas ya habían desatado una nueva ola de violencia para evitar que la verdad salga completamente a la luz.

El equipo antropológico forense de la Oficina de Paz y Reconciliación, con quien trabajé, es uno de los cuatro equipos que estaban desarrollando exhumaciones en Guatemala cuando tomé estas fotografías. Este equipo trabajó solamente en el departamento de El Quiché y (entre marzo de 2000 y julio de 2001) en Santa María Nebaj. Nebaj es un municipio muy grande compuesto de docenas de aldeas que sirven de hogar a gente indígena maya de los grupos étnicos y lingüísticos ixil y k'iche'.

Estas imágenes y testimonios solamente son un punto de partida para empezar a contar la historia de la represión y la violencia indescriptibles sufrida por la mayoría de los indígenas guatemaltecos, y solamente pueden expresar en parte la emoción e intensidad de lo que vivimos al hacer este trabajo.

Como miembros del equipo forense, fuimos testigos del dolor y angustia de las familias cuando tuvieron que volver a vivir estas atrocidades tan horribles, pero también compartimos sus alegrías y celebraciones cuando recuperaron los restos de sus seres queridos. A cambio de esto, los sobrevivientes compartieron con nosotros su confianza y amistad.

De alguna forma, esta experiencia ha cerrado el círculo, no solamente para los que sobrevivieron, sino también para mí. Yo fui testigo directo de los efectos tan horribles y vergonzosos de la represión y el genocidio cometidos contra el pueblo maya. Durante las exhumaciones me reuní con algunas de las mismas gentes que había conocido cuando, siete años atrás, se habían refugiado en las montañas.

Las exhumaciones traen de vuelta el dolor y el horror, pero al mismo tiempo les dan a las familias la oportunidad de recuperarse y cerrar finalmente sus heridas. Se reúnen por fin con sus seres queridos, para poder velarlos y darles un entierro digno en el cementerio de la comunidad, y para estar en paz con ellos y consigo mismos. Las exhumaciones, el luto y los entierros justos ayudan a los sobrevivientes a recuperar la dignidad perdida.

Jonathan Moller
Septiembre 2003

Vicente tenía cincuenta años cuando lo asesinó el ejército en la década de los ochenta. Su esposa colocó esta fotografía de él en la pared lateral de la fosa abierta el día que levantaban sus restos. Nebaj, Quiché, 2000

HABLO

Hablo
para taparle
la boca
al silencio.

KINCH'AWIK

Kinch'awik
che utz'apixik
ri uchi'
ri tz'inowik.

Humberto Ak'abal

Don Daniel y otros dos hombres descansan al lado de una montaña, mientras los restos de siete miembros de su familia son exhumados. Nebaj, 2000

En el sitio de una de las exhumaciones en las cercanías de una de las aldeas de Nebaj, 2000

Un miembro del equipo forense levanta cuidadosamente los restos de dos hombres asesinados a principios de la década de los ochenta. Nebaj, 2001

Queremos sacar a nuestros familiares de aquí porque ellos todavía están en guerra, escondidos en la montaña. Queremos enterrarlos en el cementerio, para poder visitarlos, ponerles flores y encenderles candelas.

Don Chico

Don Santos inspecciona el área en el bosque donde había enterrado a sus cuatro niños. Dos de ellos fueron asesinados por el ejército y dos murieron de hambre y enfermedad mientras se encontraban refugiados en estas montañas hace quince años. Treinta personas fueron enterradas en los alrededores de esta área. Como si solamente hubiera estado esperando recuperar los restos de sus niños, don Santos falleció un mes después de la exhumación. Xexocóm, Nebaj, 2000

Don Tomás se apoya en su pala mientras escarba la tierra con la esperanza de encontrar en este lugar los restos de uno de sus seres queridos. Nebaj, 2001

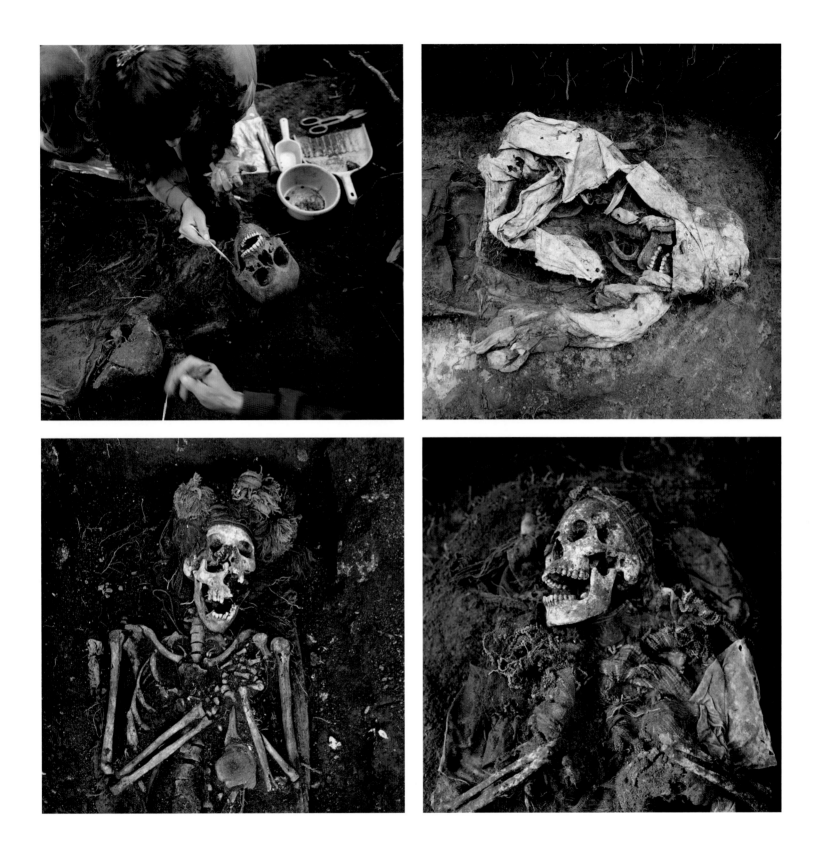

Los restos de personas asesinadas en la violencia de los ochenta. Tres fueron asesinadas por el ejército o fuerzas paramilitares, y una por la guerrilla. Nebaj. 2000 y 2001

EL ÚLTIMO HILO

El último hilo
de la luz del día
se arquea
bajo el peso de la noche
y no se rompe,

se parece a la esperanza.

Humberto Ak'abal

A la orilla de una fosa abierta. Nebaj, 2000

Después de la masacre allá en Kaibil los ejércitos esperaban a ver si había gente que entrara en el centro. Mataron algunos que entraron. Ya no me acuerdo de los nombres de esas gentes.

Pasaron como seis meses en el centro viviendo. Capturaron a unos señores y unas mujeres que no pudieron salir rápido. En la casa las capturaron, las torturaron, las violaron, según una patoja que logró escapar... y las tuvieron como sus cocineras.

Y pobre las mujeres, aunque llorando iban bajo sus tinajas, pero cuando iban a traer agua algunos de los soldados iban atrás y las violaban... ¡Cuando iban a traer agua!

Y por fin cuando salieron del centro, las dejaron muertas. Las metieron en un hoyo, y entre toda la basurera metieron fuego y las quemaron. Eran como cinco de ellas que se quedaron.

Noemí, CPR del Ixcán

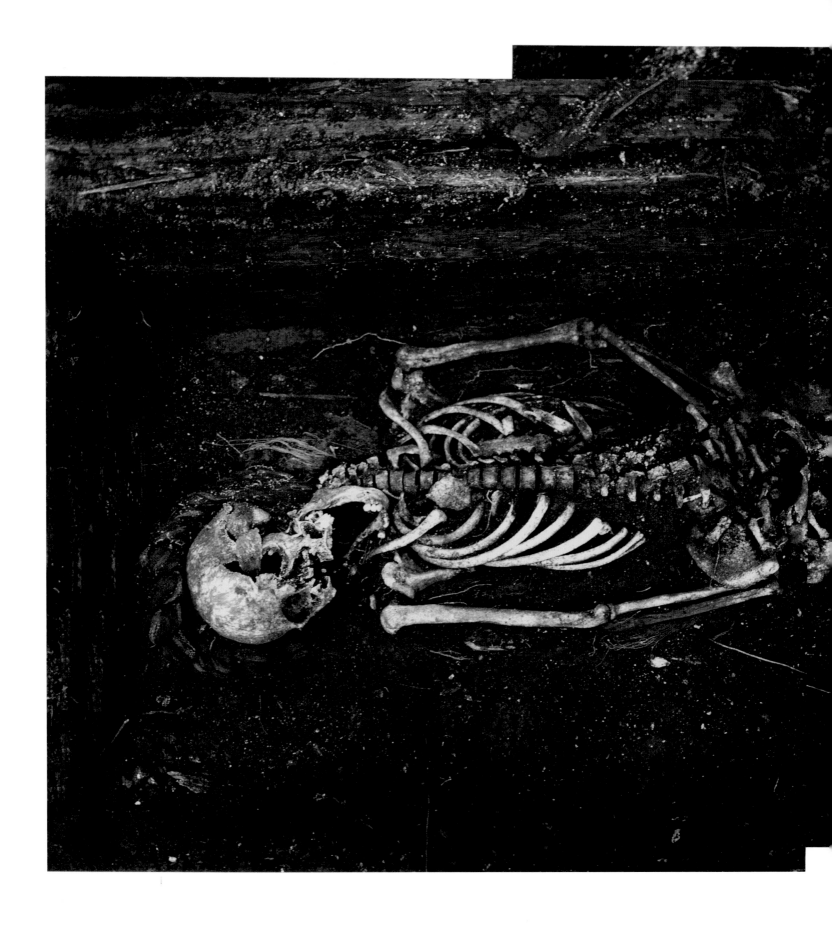

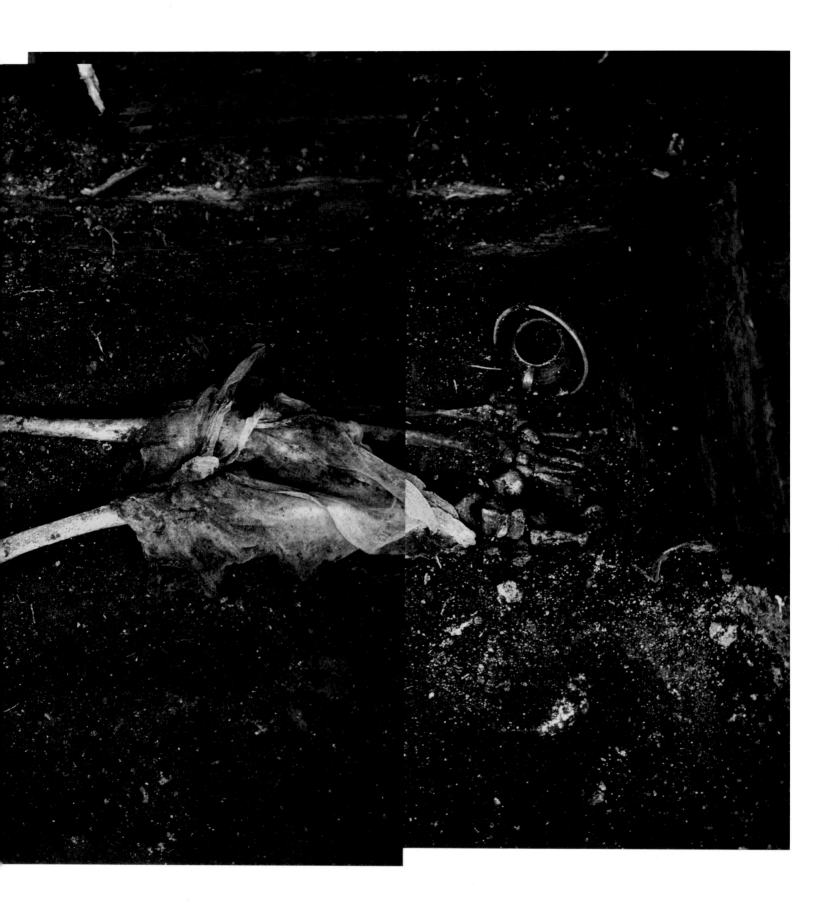

Los restos de una mujer asesinada por miembros de un grupo paramilitar, las Patrullas de Autodefensa Civil, cuando la encontraron escondida en las montañas. Dos días después de ser asesinada en septiembre de 1983, su esposo e hijo la enterraron en secreto en este lugar. Cerca de la aldea de Janlay, Nebaj, 2001

Queremos que el mundo sepa que no somos guerrilleros, que nuestros familiares fueron asesinados pero no por ser ladrones ni por ser malos, ellos eran gente honrada y dedicada a su trabajo.

Don Antonio

Viendo el pasado ser desenterrado. Nebaj, 2000

Antes yo sabía con los ojos cerrados, pero ahora lo sé con los ojos abiertos.

Pablo

◄ Dos hombres observan cómo exhuman los restos de un hombre asesinado durante la violencia. Cercanías de la aldea San Francisco Javier, Nebaj, Quiché, 2000
▲ Don Pedro lloró cuando me contó cómo había enterrado apresuradamente a su hijo en la montaña y puesto sus zapatos de hule remendados en la fosa con él. Nebaj, 2000

Un sacerdote maya celebra una ceremonia maya a la orilla de una fosa abierta. Nebaj, 2000

Estábamos en un cerro en Sumal Grande. Pensamos que era un lugar seguro pero cuando nos dimos cuenta ya estaban ahí en el cerro, y nos empezaron a disparar. Mi primo y yo estábamos en otro lugarcito y ya no nos quedó tiempo para poder cruzar y llegar a donde estaba la familia. Tuvimos que huirnos para otro lado.

Ahí capturaron a mi esposa, a mi hijo, mi abuelito, mi tío y su esposa y otros. Fue el 12 de abril del 83 que los capturaron, y luego los bajaron a una aldea. Ahí los mataron…

Tres días después, preguntamos a unos señores si no habían visto a algunas familias, y ellos nos dijeron: «Sí, acabamos de encontrar a unas personas muertas. El ejército los mató y los dejó medio enterrados, entonces los perros los están sacando». Y nos llevaron al lugar y ahí encontramos restos de ropa que los perros habían sacado de la tierra, y pudimos confirmar que sí eran ellos.

Ya no se podía hacer una fosa más profunda para dejarlos, sólo les pusimos piedras y palos encima para que los perros ya no pudieran seguir sacándolos…

Fue un momento difícil para mí y para mis otros hermanos… porque nos quedamos totalmente solitos. Fue un momento de tristeza, de confusión, que uno ya no sabía qué hacer. Yo estaba totalmente desesperado. Estaba triste porque vi los restos de la ropa de mi niño, de mi esposa y de mi familia. La tristeza no me dejaba en paz.

Marcos, anteriormente de las CPR de la Sierra

Don Daniel sostiene en su mano una fotografía de su papá, masacrado en 1982. Nebaj, 2000

Los restos del papá, la mamá y la esposa de Daniel. Los restos de otros cuatro –su tía, su hermanito, su niño bebé y su cuñada– ya habían sido sacados de la misma fosa. Una patrulla militar los masacró a los siete cuando trataban de escapar hacia las montañas en el verano de 1982. Protegido por la oscuridad, Daniel regresó al lugar a enterrarlos la segunda noche después de la masacre. Ahora, después de pasar años escondido en las montañas, pidió que los restos fueran exhumados para poder enterrarlos dignamente. Nebaj, 2000

SUSPIRO

Cuando se tiene que beber tanto dolor.
Cuando un río de angustia
ahoga nuestra respiración.
Cuando se ha llorado mucho
y las lágrimas brotan como ríos
de nuestros ojos tristes,
sólo entonces
el suspiro recóndito del prójimo,
es nuestro propio suspiro.

Julia Esquivel

Tres mujeres, sobrevivientes de la violencia, observan cómo son exhumados los restos de sus familiares y amigos asesinados a principios de la década de los ochenta. Nebaj, 2000

Los han matado como si fueran menos que animales. Un perro todavía se entierra con respeto, pero ellos los tiraron como si fueran menos que un perro.

María

Los restos de un hombre de veintiséis años asesinado por miembros de una patrulla militar. Los restos de sus dos niños, también masacrados, no pudieron ser localizados. En 1982, los tres huían hacia las montañas cuando soldados les dispararon, asesinándolos junto con otras veintinueve personas de la misma aldea. Nebaj, Quiché, 2000

David Mérida Hernández
María Hernández
Tiburcio Mérida Cano
Pedro Cano Herrera
Agusto Mérida
Rafaela Saucedo Galicia
Zenaida Herrera Velásquez
Lucio Tomás
Andrés de León de Paz
Juana de Paz
Petrona de León Paz
María de León Paz
Tomás de León Brito
Francisco Raymundo
Domingo Cobo Cobo
Juan Velasco Ceto
Juana Ceto Bacá
María Velasco Ceto
María Marroquín
María Velasco Marroquín
Juan Velasco Marroquín
Margarita Velasco Rivera
Juan Velasco Marroquín
Tomás Raymundo
Juana Santiago de Paz
María Herrera Santiago
Dionisio Pérez Santiago
Jacinta Raymundo
Juana Pérez Raymundo

Ana Pérez Raymundo
Magdalena Raymundo Ceto
Baltazar Cedillo
Juan Pérez Raymundo
Tomás Pérez Raymundo
María Raymundo Ramírez
Pascual Ajanel Cuyuch
Diego Pérez Calel
Pedro Pastor Pérez
Marta Ajanel Ordóñez
Bebé de Marta Ajanel
Esteban Hernández
Julián Álvarez Pérez
Miguel Raymundo Terraza
Juan Brito Bernal
Juan Guzaro
María Nox
María Brito
Francisco Herrera Matóm
Magdalena Cobo Chávez
Magdalena Pérez
Catarina Raymundo Brito
Elena Terraza Santiago
Juan Raymundo Gómez
Domingo Herrera Pérez
Marta García Chávez
Miguel Santiago de Paz
Diego Santiago Santiago
Miguel Cobo Pérez

Estos son los nombres de 115 personas cuyos restos fueron exhumados en veintidós aldeas del municipio de Nebaj en los años 2000 y 2001.

Domingo Láinez Cedillo
Isabela Matón Solís
Elena Guzmán Matom
Nicolás López
María Cobo Marcos
Jacinto Pérez Marcos
Domingo Guzmán Brito
Elena Raymundo Sánchez
Diego Ceto Láinez
Elena Guzmán de León
Vicente de León
José Marcos Raymundo
Ana Raymundo Cobo
María Raymundo Cox
Pedro Cobo Chel
Andrés Ceto
Sebastián Raymundo
Juan de León Guzmán
Cecilia Chávez
Elena Chávez Santiago
Baltazar Ceto Bacá
Francisco Ceto Láinez
Manuel de León
Catarina Corio
José Avilez
Pedro Avilez Matom
Petrona Láinez Santiago
Tomás Guzmán de León
Pedro Ceto Láinez

Pedro Brito Bernal
José Rodríguez Mendoza
Jacinto Marcos Terraza
Jacinto Matom
Gregorio Pastor Velásquez
Natalio Velasco Vicente
Juana Velásquez Vicente
Villatoro Velásquez Itzep
Aquilino Pérez Alvarado
Pedro de León Santiago
Diego Matom
Miguel Raymundo
Tomás Cobo Raymundo
Sebastián Rivera
Miguel Brito
Nicolás Ramírez Cruz
Pedro Meléncez
Pedro Brito Bernal
Tomás Raymundo Matom
Juana Marcos Cobo
María Corio
Elena Matom Velasco
Tomás Raymundo
Juana Cobo
Roberto Raymundo Cobo
Pedro Pérez Cedillo
Pedro Pérez Velasco
Marta Cedillo Pérez

Después de un largo día en el sitio de una exhumación aún no completada, un grupo de aldeanos, algunos cargando cajas con restos de las víctimas, bajan de las montañas. Nebaj, 2001

La «capilla» situada en un viejo orfanato de Nebaj, que funcionaba como albergue y laboratorio para el equipo forense. Después de las exhumaciones, los restos se guardaban en cajas de cartón que se colocaban en este cuarto, largo y húmedo. Los familiares de las víctimas podían visitar a sus muertos durante los meses que duró el largo proceso de limpieza, reconstrucción y análisis de los restos. 2001

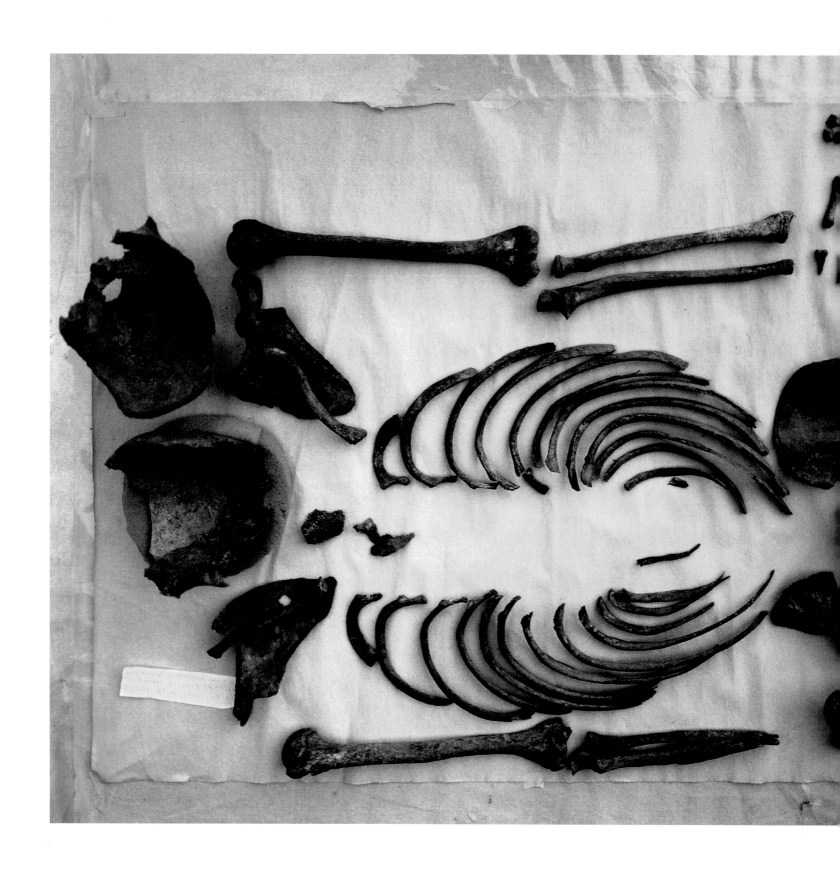

La reconstrucción y análisis de los restos de un joven guerrillero no identificado que murió en 1983. Él y seis de sus compañeros murieron cuando trataban de desactivar una granada que les explotó. La granada fue una trampa plantada por el ejército cerca de la aldea de Tzalbal. Solamente tres de los siete fueron identificados. Nebaj, 2001

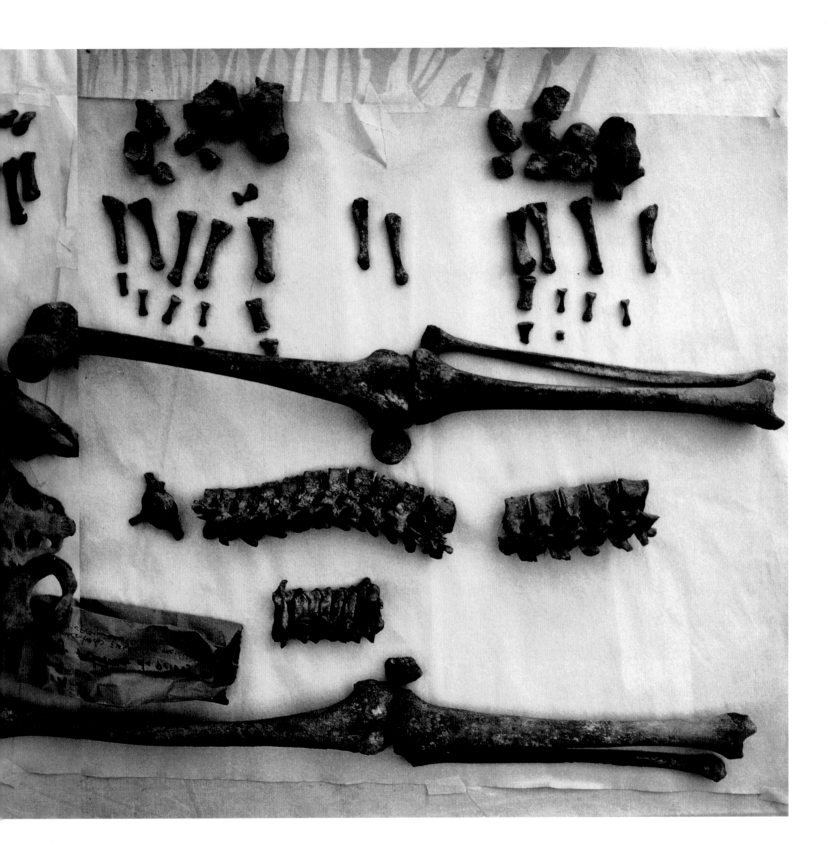

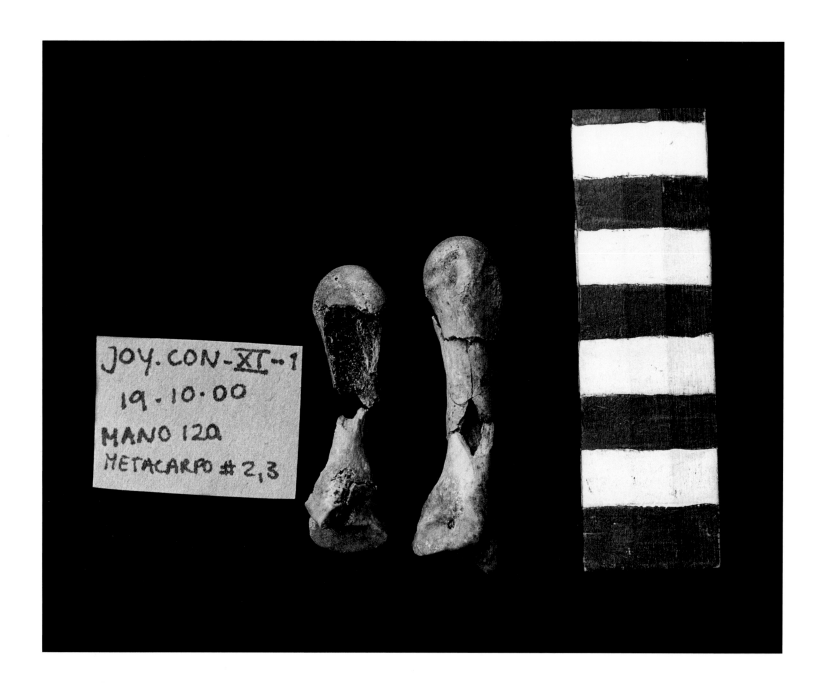

JOY.CON-XI-1
19·10·00
MANO 12Ω
METACARPO # 2,3

▲ Huesos fracturados de los dedos de una mano. 2000
▶ En el laboratorio, miembros del equipo forense reconstruyeron los huesos de una mano, la cual había sido triturada por un objeto pesado cuando la persona fue asesinada. La evidencia fue documentada por medio de fotografías como ésta. Santa Cruz del Quiché, 2000

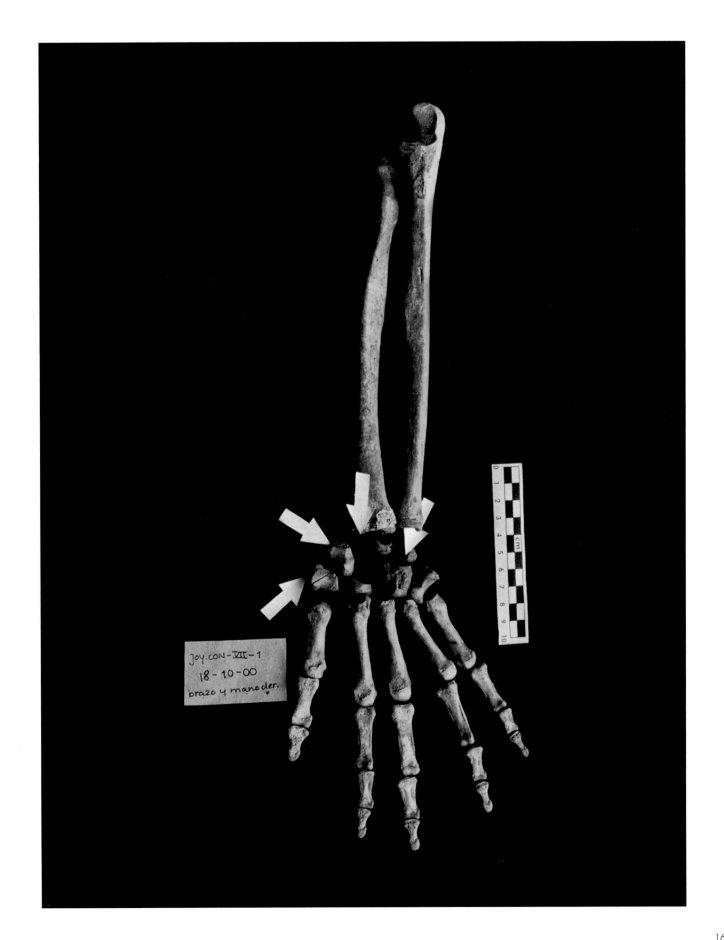

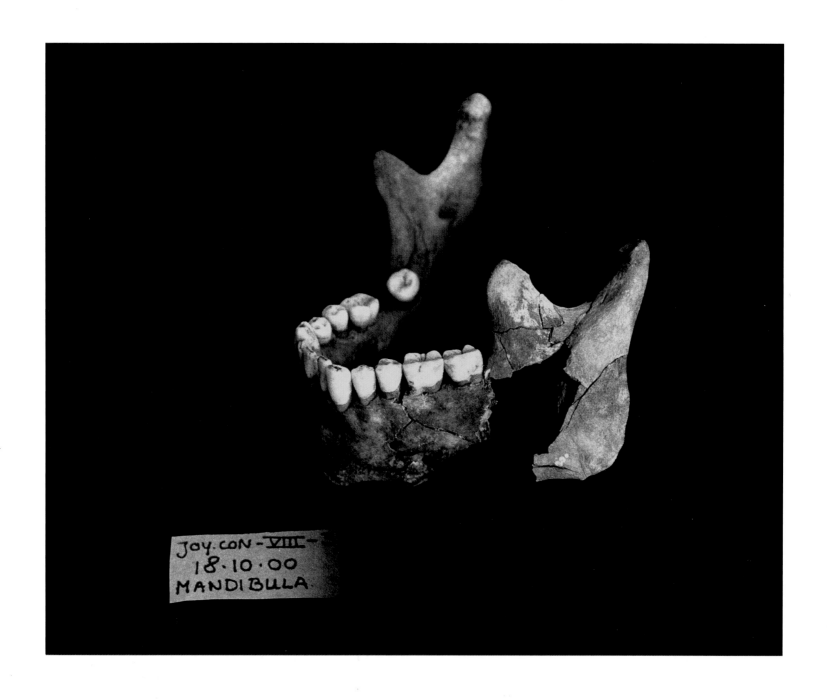

▲ Un hueso de mandíbula destrozado por un proyectil. Santa Cruz del Quiché, 2000

▶ La trayectoria de un proyectil que pasó a través del cráneo. Estos restos humanos fueron exhumados en terrenos del convento de Joyabaj, Quiché. El ejército ocupó el convento en los ochenta, usándolo como cuartel militar, centro de tortura y cementerio clandestino. Santa Cruz del Quiché, 2000

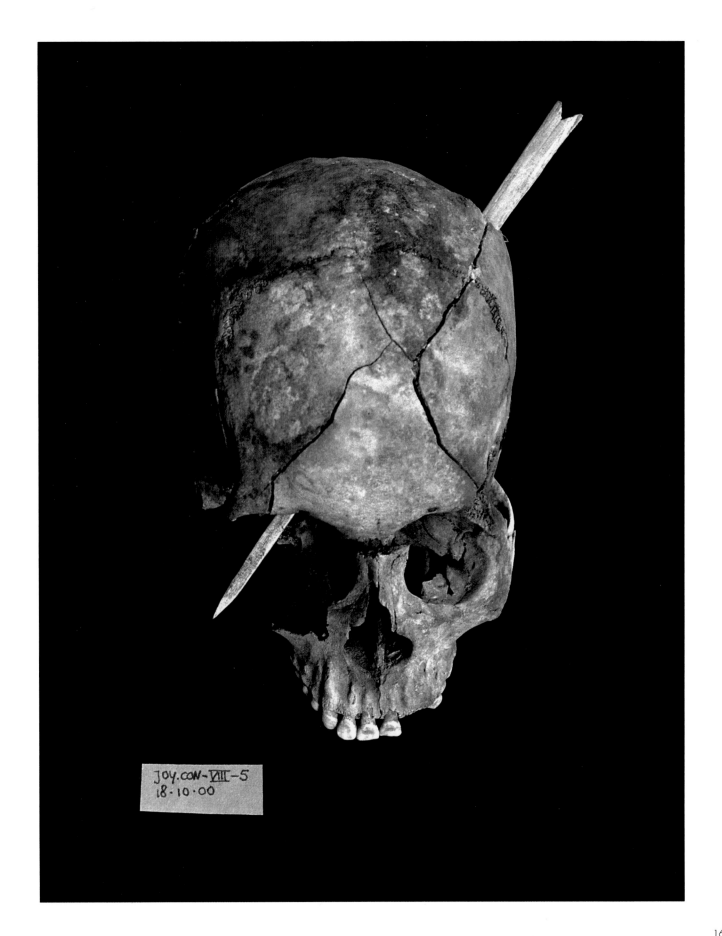

JOY.CON-VIII-5
18·10·00

PIEDRAS

No es que las piedras sean
mudas: sólo guardan silencio.

RI AB'AJ

Ri ab'aj man e mem taj:
xa kakik'ol ri kich'awem.

Humberto Ak'abal

▶ Un día antes de la misa en memoria de las víctimas, un sacerdote maya ofrece oraciones sobre los ataúdes que contienen los restos de sus seres queridos, masacrados por el ejército en 1982. Nebaj, 2001

Pocos días antes de ser enterrados de nuevo, los restos fueron devueltos a los familiares. Cada familia prepara los ataúdes, poniendo cuidadosamente los huesos vestidos con ropas nuevas y acompañados de textiles y otros objetos en cajas sencillas de pino. Con mucho amor, gran respeto y dignidad preparan los restos de sus seres queridos para la misa, velorio y entierro. Nebaj, 2001

Durante un día y una noche, en la iglesia principal de Nebaj, la gente acompaña los restos de sus familiares martirizados. 2001

Antes de la exhumación yo sentía un peso, o una carga que no me hacía sentir tranquilo. Sabía que ellos estaban abandonados, y cuando fui a ver el lugar, vi que había milpa encima de ellos. Eso me hizo sentir más tristeza. Me sentía culpable de estar vivo, y porque no hacía algo... Esa carga no me dejaba tranquilo. Pero cuando ya se hizo la exhumación cambió mi vida.

Cuando se empezó a excavar, empecé a ver la ropa, los huesos... me hizo recordar toda la historia de la violencia. Había momentos que me sentía impotente, me sentí culpable y hasta volví a sentir odio por lo que le había pasado a mi familia. ¿Cómo no pude defenderlos en ese tiempo?

Luego empecé a reflexionar, y empecé a pensar que no era posible que la exhumación me sirviera nada más como un acontecimiento de volver al pasado. Empecé a pensar que la exhumación no era únicamente para recordar esos momentos de dolor, de tristeza, sino que la exhumación tenía que ser algo nuevo, o sea una buena noticia, un momento de alegría.

Entonces empecé a sentir que la exhumación significaba para mí el reencuentro con mis familiares...

Cuando ya empecé a sentir eso, empecé a reflexionar y dije ya no voy a pensar más en lo que pasó, sino tengo que pensar en lo que esto significa para mí ahora, el poder sacarlos de ese lugar, poder llevarlos al cementerio, llevarlos a mi casa, velarlos... enterrarlos yo mismo... porque cuando los asesinaron, fue el mismo ejército que puso a mi abuelo y a mi tío a hacer la fosa y los dejaron medio enterrados...

La exhumación ayuda a sanar las heridas de dolor y de tristeza ante la pérdida de nuestros seres queridos.

Don Manuel

Viernes, 27 de julio de 2001. Durante la misa en la iglesia, los dolientes honran los restos y las memorias de ciento veinte personas. Los restos exhumados provenían de más de cincuenta cementerios clandestinos. Dichas exhumaciones fueron realizadas en veintidós aldeas del municipio de Santa María Nebaj, durante el transcurso de un año y medio.

Después de la misa, los dolientes salen de la iglesia cargando los ataúdes para comenzar la procesión por el pueblo. Nebaj, 2001

Familiares y simpatizantes cargan por las calles principales de Nebaj los restos de ciento veinte personas masacradas durante los ochenta. 2001

Casi toda la comunidad toma parte en la procesión fúnebre hacia el cementerio del pueblo, cargando los ataúdes con los restos de quince mujeres, hombres y niños asesinados durante la violencia. Nebaj, 2001

Sacerdotes mayas celebran una ceremonia en el cementerio de la aldea antes de los entierros. Nebaj, 2001

La verdad es que revuelve tristeza con alegría. Tristeza al ver los restos ya que son sólo huesos que uno tiene, en caso de mi papá. Pero a la vez uno trata de sentir que lo tiene nuevamente entre sus brazos. Ya no fue posible estrechar la mano y decir: «Adiós, papá, nos vemos a saber cuándo». Ya no es posible. Este momento de hoy agarro todavía parte de su cuerpo, parte de él, aunque sea sólo sus restos.

Antonio

Domingo, 29 de julio de 2001. Con una mezcla de pena, alegría y alivio, los miembros de la comunidad se preparan a enterrar los restos de quince personas en el cementerio de una de las aldeas de Nebaj.

El pueblo de Nebaj, visto desde el camino principal que atraviesa las montañas y que comunica a esta región aislada con el resto de Guatemala. La municipalidad de Santa María Nebaj está compuesta por más de cincuenta aldeas rurales. El área es el hogar tradicional de pueblos mayas pertenecientes a los grupos étnico-lingüísticos ixil y k'iche'. En esta región, el ejército de Guatemala desató una terrible campaña contrainsurgente de tierra arrasada, convirtiendo el área en el escenario de algunos de los peores actos de violencia que han ocurrido en Centroamérica. Quiché, 2002

Cuando la situación se empeoró, a puro tubo nos tuvimos que meter en la patrulla civil, así obligado. Obligándonos a matar a nuestros propios hermanos, a nuestras propias familias, tratando de perseguirnos y de terminarnos de una vez.

Juan, CPR de la Sierra, 1993

El Día del Ejército, enfrente del Palacio Nacional. Ciudad de Guatemala, 20 de junio de 1996

Al comienzo de su reunión en las afueras del pueblo de Nebaj, ex miembros de los grupos paramilitares conocidos como Patrullas de Autodefensa Civil (PAC) escuchan la oración de un ministro de una iglesia evangélica. Julio de 2002

Cinco días en Nebaj

En julio del año 2002, después de pasar un año en Estados Unidos, regresé a Nebaj. Ese fue el período más largo que pasé fuera de Guatemala desde que empecé a trabajar allí en 1993. En ese pueblo, normalmente tranquilo, un pequeño grupo de personas conocidas empezaron a contarme historias sobre el retorno del miedo y la violencia. Tuve la sensación de que la preocupación y el dolor flotaban en el ambiente.

A nivel nacional, la situación de los derechos humanos se había deteriorado significativamente en Guatemala, y los activistas comentaban que el resurgimiento de las amenazas de muerte, los robos, y los asesinatos selectivos les hacían recordar los últimos años de la década de los setenta, antes de que diera inicio la represión masiva. En Nebaj, las señales de lo que ocurría eran obvias. La casa parroquial fue quemada por vándalos en la madrugada del 21 de febrero de 2002. Inmediatamente después del incendio, el sacerdote local que vivía en dicha casa, Rigoberto Pérez, comenzó a recibir amenazas de muerte. El padre Rigoberto trabaja activamente en pro de la verdad y las iniciativas por la justicia, y también ha encabezado el comité a cargo de supervisar al equipo de antropología forense del que fui parte.

En los pocos días que estuve de vuelta en Nebaj, fui testigo y fotografié una gran reunión de ex miembros de las Patrullas de Autodefensa Civil, conocidas como ex PAC. Durante más de diez años estos ex patrulleros fueron forzados a espiar a sus vecinos y pelear junto con o a la vanguardia del ejército. Los tres o cuatro mil individuos que se juntaron para esa reunión en las afueras del pueblo eran parte de un movimiento aún creciente. Decenas de miles de ex patrulleros a lo largo y ancho de Guatemala estaban reorganizándose para demandar una compensación gubernamental por lo que ellos argumentaban eran los trabajos que el Estado aún no les había pagado por los servicios que le prestaron durante el conflicto armado interno.

Después de la guerra, la Comisión de la Verdad patrocinada por la ONU dio a conocer que las PAC fueron culpables de numerosas masacres y otras serias violaciones de derechos humanos. Aunque las PAC fueron desmanteladas oficialmente al firmarse los Acuerdos de Paz a finales de 1996, activistas de derechos humanos aseguran que las mismas continúan ejerciendo poder e influencia a nivel local, donde actúan como los ojos y oídos de la institución militar en varias comunidades rurales. A finales del 2002, como resultado de esas presiones, el gobierno se comprometió a compensarlos. Muchos observadores ven la reorganización tan abierta de las PAC como un símbolo más de que la militarización y la impunidad no se han acabado. ¿Cómo puede el gobierno recompensar a los perpetradores de las violaciones de derechos humanos a la misma vez que se niega a dar resarcimiento a las víctimas y a los sobrevivientes?

Inmediatamente después de la reunión masiva de los ex paramilitares en Nebaj, fui testigo y fotografié una multitud que se había concentrado fuera de la estación policial localizada en el centro del pueblo. Estaba tratando de meterse a la fuerza en la cárcel para asesinar a un joven acusado de haber matado a alguien el día anterior durante un intento de robo. Los miembros de la turba amenazaron y presionaron a los policías para que les entregaran al hombre. Después, llenos de odio y con la intención de lincharlo públicamente, lo rodearon en la calle. Este fenómeno violento de justicia vigilante es muy común en las zonas rurales de Guatemala. Después de treinta y seis años de guerra civil, la cultura de la violencia sigue prosperando en un país donde la corrupción y la impunidad reinan en todos los niveles de la sociedad.

Los linchamientos son generalmente planeados o manipulados por ex patrulleros u otros individuos que están conectados con las estructuras contrainsurgentes que aún están profundamente enraizadas en las áreas rurales del país. Aunque con frecuencia son interpretados como actos de castigo contra la criminalidad común, los linchamientos algunas veces son en realidad asesinatos políticos realizados en formas que los hacen lucir como si fueran crímenes comunes o el resultado de conflictos por la tierra u otras razones.

En este caso, afortunadamente, los miembros de la multitud de alguna forma decidieron no prenderle fuego al joven y lo regresaron a la policía. Sin embargo, poco tiempo después, continuaron su marcha hacia la oficina de la Fiscalía del Distrito, donde sacaron a la fuerza a la representante local y la amenazaron de muerte. Posteriormente, la fiscal cerró su oficina y abandonó Nebaj durante casi tres semanas.

La violencia y la anarquía han regresado.

Jonathan Moller
Septiembre 2003

Un ex líder paramilitar se dirige a miles de antiguos miembros de las PAC congregados a las afueras de Nebaj. Quiché, 2002

Inmediatamente después de la reunión de miles de ex PAC, una turba se reunió enfrente de la estación de policía y la cárcel que están en la plaza central de Nebaj. La turba irrumpió en la estación policial, amenazando con matar a un prisionero acusado de asesinato durante un robo cometido un día antes. 2002

En el centro de Nebaj, una turba rodea a un joven que sacaron a rastras de la cárcel. Luego lo insultaron y lo patearon, amenazándolo con prenderle fuego. En algún momento, cuatro policías trataron de hacerse paso por la multitud para negociar con la turba que regresaran al prisionero a la cárcel. La multitud los pateó y empujó, forzándolos a retirarse hacia la estación policial para protegerse. 2002

La gente tenía un gran temor, había perdido familia, casas, siembras. Había sufrido demasiado. Por lo tanto el ejército no sólo nos debe vidas sino también debe todos los bienes de la gente. El dinero, las casas, y todas las maquinarias de la cooperativa, de café, de cardamomo y de otras cosas más. Lo que el ejército quemó, lo que destruyó. O sea que el ejército debe de todo por completo, lo que es la vida de un ser humano.

Don Faustino, CPR del Ixcán, 1994

Vándalos pirómanos le prendieron fuego a la casa parroquial durante la madrugada del 21 de febrero de 2002. Este acto fue ampliamente interpretado como una amenaza contra el padre Rigoberto Pérez, un sacerdote políticamente activo a nivel local y defensor incansable de los derechos humanos. Nebaj, julio de 2002

EN LAS VOCES

En las voces
de los árboles viejos
reconozco las de mis abuelos.

Veladores de siglos,
su sueño está en las raíces.

PA RI KITZIJOB'AL

Pa ri kitzijob'al
re ri ri'j taq che'
kinch'ob' ri kitzij ri wati't numam.

Man kewar taj,
ri kiwaram k'o chuxe' ri ulew.

Humberto Ak'abal

Durante la peor época de la campaña contrainsurgente de tierra arrasada a principios de los ochenta, el ejército forzó a los habitantes locales a cortar los árboles a lo largo de las carreteras y caminos principales para reducir los riesgos de emboscadas guerrilleras. Estos árboles son sagrados para los mayas chuj de la región, quienes rehusaron usar esta madera o mover los troncos de los árboles donde habían caído, a pesar de que la madera es una fuente muy útil para la cocina de alimentos y la construcción. San Mateo Ixtatán, Huehuetenango, 1997

Continuidades y cambios en la Guatemala de la posguerra

Mientras que Guatemala emerge lentamente del trauma de su épica guerra civil de treinta y seis años de duración, aún luchamos por comprender la enorme brutalidad que algunos seres humanos (en el ejército) le infligieron a otros 200.000 seres humanos (en su mayoría mayas del Altiplano). La evidencia de esas masacres está documentada para siempre en las inolvidables fotografías de Jonathan Moller. Estas imágenes también documentan las varias formas de autodefensa y autoafirmación mayas. Hoy, al igual que en los momentos más brutales de la década de 1980, «nuestra cultura es nuestra resistencia».

Sin olvidarnos nunca del pasado genocida y las heridas que causó, debemos también mirar hacia el futuro. Oficialmente, la exposición pública de los campos de la muerte guatemaltecos iba a ser el comienzo de un proceso de limpieza basado en la firma de los Acuerdos de Paz en diciembre de 1996 y especialmente con la publicación en febrero de 1999 del informe dolorosamente detallado de la comisión de la verdad –conocida en Guatemala bajo el nombre de Comisión de Esclarecimiento Histórico (CEH)–. El informe de la CEH determinó que el Estado/Ejército fue responsable de «actos de genocidio» durante los ochenta. Sin embargo, el gobierno de Álvaro Arzú (1996-1999), que había firmado los Acuerdos de Paz, obstaculizó su implementación y resistió las recomendaciones de la CEH en pro de resarcir a las víctimas de la guerra. En mayo de 1999, los esfuerzos y la indiferencia del gobierno permitieron el fracaso de las reformas constitucionales especificadas en los Acuerdos de Paz y detuvieron la ambiciosa agenda para la desmilitarización total, los derechos indígenas y la redefinición de Guatemala como una nación multiétnica, pluricultural y multilingüe.

El gobierno siguiente (2000-2003) estuvo liderado por Alfonso Portillo, bajo la sombra siniestra del partido dominado por el general retirado Efraín Ríos Montt, uno de los arquitectos principales del genocidio de los ochenta. Los años de Portillo dieron marcha atrás al incipiente proceso de reconciliación. En lugar de resarcir a las víctimas, por ejemplo, el gobierno concedió indemnizaciones a miembros de las Patrullas de Autodefensa Civil (las PAC), identificadas por la CEH y por, virtualmente, todas las organizaciones de derechos humanos de ser los principales perpetradores de la mayoría de crímenes de derechos humanos, y cuyo desmantelamiento estaba programado en los Acuerdos de Paz. El gobierno de Portillo también destacó por su total incompetencia y corrupción sin precedentes en cada esfera de la vida pública y privada.

Las elecciones de noviembre de 2003 marcaron un paso adelante muy significativo, cuando los votantes rechazaron firmemente la candidatura de Ríos Montt, dejando finalmente al ex general desprotegido de los procesos judiciales en su contra por crímenes de lesa humanidad. El nuevo gobierno, inaugurado en enero de 2004, está bajo la presidencia de un conservador y hombre de negocios, Óscar Berger, y la vicepresidencia de Eduardo Stein. Stein tiene la reputación de ser uno de los funcionarios públicos más inteligentes y dedicados de Guatemala y Centroamérica, y significa una luz de esperanza para los defensores de los derechos humanos y para otras personas progresistas. Sin embargo, lo que no está claro es si se le permitirá ejercer tanto poder efectivo o influencia.

Teóricamente, este nuevo gobierno tiene una última oportunidad de regresar a la agenda de los Acuerdos de Paz, y ha prometido hacerlo. Aunque está fuertemente dominado por las élites empresariales, varios defensores de los derechos humanos y activistas mayas de larga experiencia se han unido al gobierno, viendo por primera vez una oportunidad de impulsar a Guatemala hacia la reconciliación, la reconstrucción y la igualdad social, o al menos una esperanza de hacer de estas metas elementos centrales de la agenda nacional. Las organizaciones de la sociedad civil también han obtenido mayor «espacio» para expresar sus reivindicaciones. En síntesis, a principios de 2004 la atmósfera en el país ha sido de un optimismo reservado, especialmente si se contrasta con la que dominó el ambiente nacional en décadas pasadas.

Aun así, ha habido otros momentos en la historia reciente de Guatemala, como el de diciembre de 1996, cuando renacieron las esperanzas en todo el país para ser inmediatamente destruidas de nuevo. El optimismo reservado (y bastante relativo) de principios de 2004 debe de ser equilibrado con el reconocimiento de que todavía quedan muchos obstáculos por vencer. El país está aún marcado por los terribles legados del aparato contrainsurgente: fuerte influencia militar en muchas esferas; la reconstrucción y acciones coordinadas de las redes de las PAC; la prominencia de militares retirados en, virtualmente, cada partido político, en el Congreso y en el Ejecutivo; la existencia de «poderes paralelos» clandestinos dentro de las instituciones públicas, y la continuación de amenazas abiertas y violaciones de derechos humanos dirigidas contra los activistas sociales.

Además, la justicia institucionalizada parece en Guatemala una meta lejana, ya que la impunidad reina suprema y los jueces honestos continúan siendo asesinados, amenazados o forzados al exilio. Finalmente, ha surgido una segunda «ola» o «generación» de violaciones de derechos humanos con las mujeres como blanco principal; entre los años 2000 y 2004, este incipiente femenicidio se ha reflejado en los asesinatos violentos (los que frecuentemente incluyen violaciones, torturas y mutilaciones) de más de 1.100 mujeres. Guatemala continúa siendo el país donde nadie está seguro, donde cualquier cosa puede ocurrir y donde nada es lo que parece.

Las políticas económicas neoliberales que emanan de Washington, y el rechazo constante de las élites económicas guatemaltecas al pago de impuestos o la redistribución de la tierra, perpetúan la extrema pobreza, la desigualdad, el desempleo y la población sin tierra; y en años recientes, fenómenos sin precedentes, tales como la hambruna. Sin ninguna duda, a menos que estos problemas sean seriamente encarados, el flujo de emigrantes guatemaltecos que comenzó durante los ochenta continuará. Cifras recientes indican que aproximadamente un 10% de los guatemaltecos vive en Estados Unidos enviando a casa remesas que son el pilar de la economía nacional. Muchos de los primeros emigrantes (los que salieron durante los ochenta) huían de situaciones como las documentadas en las fotografías de Jonathan Moller; ellos tienen sus propias historias de horror que contar sobre lo que sufrieron durante la guerra.

Estados Unidos, como siempre, mantiene una influencia poderosa sobre la toma de decisiones en Guatemala. La obsesión que Washington ha demostrado desde 2001 con los temas de «seguridad nacional» y sus planes para el libre comercio en Centroamérica sin duda afectarán la agenda del nuevo gobierno. Además, está previsto que la misión de la ONU en Guatemala, MINUGUA, la que ha sido el principal promotor y monitor externo de la implementación de los Acuerdos de Paz, salga de Guatemala a finales de 2004. En la ausencia de MINUGUA, las organizaciones y coaliciones de la sociedad civil guatemalteca tendrán que fortalecer y consolidar sus esfuerzos para presionar por el cumplimiento de los Acuerdos de Paz, exigir justicia para las víctimas de la guerra, desafiar al statu quo y promover propuestas para estrategias de justicia y otro modelo de desarrollo.

En síntesis, la Guatemala de la posguerra aún no vive en paz, y la ambiciosa agenda de la paz sigue siendo un «premio» que los guatemaltecos no podrán alcanzar a menos que se mantengan firmes en lograrlo. Las heridas de la guerra son profundas y los obstáculos para la paz, enormes. Aun así, entre los sectores organizados de la población hay un sentimiento creciente de merecer sus derechos. Y muchos guatemaltecos –especialmente los mayas y las mujeres– están participando en nuevas formas de organización desde la base. Esto no garantiza necesariamente que habrá progreso social, pero sí representa una revolución a largo plazo de crecientes expectativas y esperanzas, las cuales no pueden ser ni reprimidas ni revocadas.

Susanne Jonas
Marzo 2004

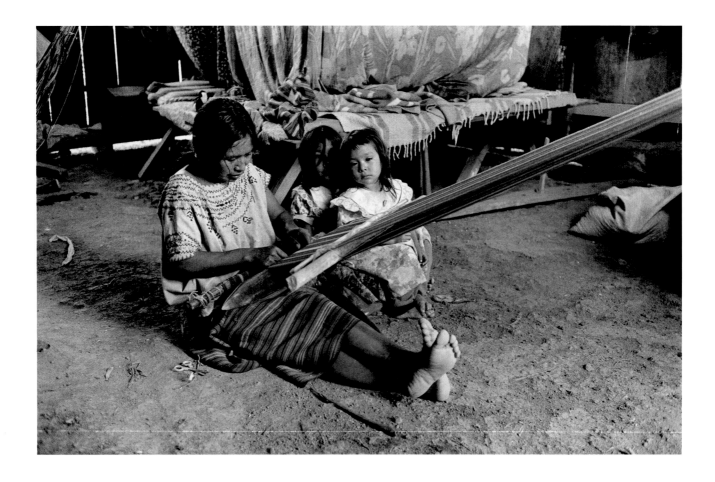

Guatemala: una cronología

2000 a.C.: Civilizaciones amerindias se levantan en lo que es hoy el sur de México y en naciones centroamericanas tales como Guatemala, El Salvador y Honduras.

1000 a.C.-100 d.C.: Período «formativo» de la civilización maya.

100-900 d.C.: La civilización maya alcanza su apogeo. Durante este tiempo, que se conoce como el período «clásico», los mayas florecen y logran hazañas sin paralelo en la arquitectura, las matemáticas y la astronomía.

900-1400 d.C.: La civilización maya, por razones que se desconocen, declina. Ciudades monumentales como Tikal, Uxmal y Copán son abandonadas. Sus plazas, monumentos, y pirámides son absorbidos por la selva.

1500: Sacerdotes españoles llegan a Centroamérica para convertir a los grupos indígenas al cristianismo. Cantidades desconocidas de libros que guardan la historia y logros de la civilización maya son quemados y destruidos.

1523: Hernán Cortés comisiona a Pedro de Alvarado para que, en el nombre de España, conquiste Guatemala; así se inicia la sangrienta conquista de los mayas.

1541: En América Central se establecen leyes que consolidan en manos de los colonos españoles, a través de la labor forzada y la confiscación de tierras, el poder económico y político.

1821: La región centroamericana declara su independencia de España.

1839: Se establece la República de Guatemala.

1850: Guatemala comienza a adoptar una economía de exportación liderada por el café, cuyo cultivo requiere terrenos cada vez mayores y grandes concentraciones de mano de obra barata; los campesinos indígenas son expulsados de sus tierras hacia las menos fértiles tierras rocosas del Altiplano.

1901: La compañía estadounidense United Fruit Company (UFCO) llega a Guatemala, convirtiéndose inmediatamente en el mayor terrateniente, patrón y exportador del país.

1921: Con incentivo estadounidense, un gobierno militar se instala por medio de un golpe de Estado.

1931: El general Jorge Ubico se apodera de la presidencia, persigue a los izquierdistas y durante trece años reprime a las organizaciones laborales y agrarias.

1944: Ubico es derrocado por un golpe militar; la «Revolución de Octubre», movimiento cívico-militar, emerge victoriosa e impulsa nuevas elecciones.

1945: El candidato reformista, Juan José Arévalo, es elegido presidente; las mujeres ganan el derecho al sufragio, y se establece el salario mínimo y el cuidado de salud nacional.

1947: Nuevos códigos laborales establecen el derecho a la organización y la huelga.

1948: Se forma el Partido Guatemalteco del Trabajo (PGT).

1950: Jacobo Arbenz Guzmán es nombrado presidente.

1952: Se aprueba la ley de la reforma agraria, permitiendo la confiscación de las tierras ociosas y su redistribución entre los campesinos pobres (los grandes terratenientes son compensados de acuerdo a los impuestos declarados sobre el valor de la tierra); 100.000 familias campesinas se convierten en propietarias de tierra; la UFCO hace una demanda legal contra la reforma agraria.

1954: La «Operación Suceso», montada por la CIA a instancias del gobierno de EE.UU. y la UFCO, derroca al gobierno de Arbenz; la operación marca el final de los diez años de «primavera» en el país; se instala en el poder el coronel Carlos Castillo Armas; las reformas agrarias son eliminadas; se prohíben los sindicatos.

1957: Castillo Armas es asesinado.

1958: El general Miguel Idígoras Fuentes es elegido presidente.

1962: Después de un fallido golpe de Estado, oficiales militares reformistas forman los grupos guerrilleros Fuerzas Armadas Rebeldes (FAR) y el M-13.

1966: Fuerzas Especiales de EE.UU. participan en la «Operación Guatemala», campaña de contrainsurgencia a cargo del coronel Carlos Arana Osorio; 8.000 personas son asesinadas. Aparecen La Mano Blanca y otros escuadrones de la muerte derechistas. Se sospecha que entre 1966 y 1973 los mismos son responsables de más de 30.000 ejecuciones extrajudiciales.

1968: El embajador de EE.UU., John Mein, es asesinado por la guerrilla.

1970: El coronel Carlos Arana Osorio es elegido presidente.

1971: Se establece la Organización del Pueblo en Armas (ORPA).

1972: Formación del Ejército Guerrillero de los Pobres (EGP), grupo que comienza a organizarse clandestinamente en el área Ixil del Departamento del Quiché.

1974: El general Kjell Eugenio Laugerud toma la presidencia por medio de un fraude electoral.

1976: Un terremoto mata a más de 22.000 personas y deja sin hogar a más de un millón.

1978: El general Romeo Lucas García se convierte en presidente por medio de elecciones fraudulentas; masacre de cien campesinos q'eqchi' que protestaban contra el robo de tierras por parte de ganaderos apoyados por EE.UU.; se forma el Comité de Unidad Campesina (CUC); EE.UU. prohíbe la venta de armas al país, pero continúa el apoyo clandestino e indirecto.

1980: La embajada de España es ocupada pacíficamente por 39 manifestantes que buscaban llamar la atención internacional sobre Guatemala; las fuerzas de seguridad del Estado queman el edificio, matando a los manifestantes y a algunos empleados de la embajada; España rompe relaciones diplomáticas con Guatemala.

1981: El ejército de Guatemala lanza una ofensiva contrainsurgente en Chimaltenango; en un período de dos meses 1.500 campesinos indígenas son asesinados.

1981-1982: El ejército aplica por primera vez las tácticas de tierra arrasada para derrotar a las guerrillas y negarles sus bases de apoyo entre la población civil, creando éxodos humanos masivos de las áreas afectadas, incluyendo aquellos que llegarán a formar las Comunidades de Población en Resistencia (CPR).

1982: En febrero se forma la Unidad Revolucionaria Nacional Guatemalteca (URNG), la cual incluye al ORPA, el EGP, las FAR y el PGT; en marzo, una junta militar liderada por el general Efraín Ríos Montt toma el poder; la junta es desmantelada y el general Ríos Montt se convierte en jefe de gobierno; la campaña contrainsurgente de Ríos Montt se intensifica en Quiché y otras áreas del norte y occidente de Guatemala; Ríos Montt se reúne con el presidente Reagan, quien describe al general como «un gran demócrata». También en marzo el ejército masacra a más de 320 aldeanos en Cuarto Pueblo, Ixcán, el Quiché; en junio se da la formación de las supuestamente voluntarias Patrullas de Autodefensa Civil; en menos de dos años llegan a tener más de 900.000 miembros; en agosto, el Consejo Mundial de Iglesias informa que el gobierno guatemalteco es responsable de la muerte de más de 9.000 personas en los previos cinco meses; y en diciembre el ejército masacra a más de 250 campesinos en la comunidad de Dos Erres, Petén.

1983: El general Oscar Mejía Víctores toma el poder en un golpe militar; EE.UU. resume en forma parcial ventas militares a Guatemala.

1985: Reanudación de la ayuda económica y militar de EE.UU. a Guatemala.

1986: El demócrata-cristiano Vinicio Cerezo Arévalo es nombrado presidente, el primer civil electo a ese cargo en treinta años.

1987: El ejército lanza una fracasada ofensiva de «Fin de Año» para acabar con la insurgencia guerrillera.

1990: La URNG firma un acuerdo con nueve partidos políticos para buscar una solución negociada al conflicto armado.
Septiembre: La CPR de la Sierra hace un comunicado público anunciando su existencia como «población civil desplazada internamente» y en refugio.

1991: Jorge Serrano Elías gana la segunda etapa de las elecciones presidenciales.
Enero: La CPR del Ixcán saca a luz su primer comunicado público, el cual es seguido por el de la CPR del Petén en octubre; negociaciones de paz moderadas por la ONU dan inició entre el gobierno y la URNG, pero las mismas se estancan.

1992: La líder guatemalteca maya Rigoberta Menchú Tum recibe el Premio Nobel de la Paz.

1993: En enero se pone en marcha el primer retorno organizado de refugiados en México hacia Guatemala; en febrero el ejército lanza una ofensiva en el Ixcán y ataca asentamientos de las CPR; también en febrero se da la primera visita por tierra a las CPR de la Sierra y el Ixcán; en mayo, Serrano Elías disuelve el Congreso y suspende la Constitución. EE.UU. y otros países amenazan con imponer sanciones económicas; Serrano es forzado a renunciar y es reemplazado por el procurador de Derechos Humanos, Ramiro de León Carpio.

1994: Se reanuda el proceso de paz.

1995: En mayo se produce la primera visita oficial en helicóptero a la CPR del Petén; en octubre el ejército penetra en la comunidad de refugiados retornados de Xamán, Alta Verapaz, y dispara contra un grupo de sus habitantes, matando a once e hiriendo a más de treinta.

1996: En las elecciones presidenciales, Álvaro Arzú es elegido presidente en una segunda ronda;

29 de diciembre 1996: los Acuerdos para una Paz Firme y Duradera son firmados.

1997: Se completa la desmovilización de la URNG.

1998: El 24 de abril el Proyecto para la Recuperación de la Memoria Histórica (REMHI) hace público *Guatemala: ¡Nunca Más!*, su estudio de cuatro volúmenes sobre las violaciones de derechos humanos que ocurrieron durante la guerra civil; el 26 de abril el obispo Gerardi, coordinador del Proyecto REMHI, es asesinado.

1999: En febrero la Comisión de Esclarecimiento Histórico patrocinada por la ONU hace público su informe, *Guatemala: Memoria de Silencio*, en el cual concluye que más de 200.000 personas fueron ejecutadas durante la guerra, y que el genocidio fue cometido contra los pueblos mayas; la Comisión denuncia que el 93% de los actos de violencia fueron cometidos por agentes del Estado, especialmente el ejército, y que el 3% fueron causados por la guerrilla; la comisión de la verdad condena fuertemente el papel de EE.UU. en la violencia; el presidente Clinton visita el país y públicamente se disculpa por los excesos cometidos por EE.UU. dentro del contexto de la guerra civil guatemalteca.

2000: En enero, Alfonso Portillo, del partido derechista Frente Republicano Guatemalteco (FRG), asume la presidencia; el fundador y secretario general del FRG, general retirado Efraín Ríos Montt, se convierte en presidente del Congreso; en mayo, la Asociación para la Justicia y la Reconciliación (AJR) hace una demanda en las Cortes Nacionales Guatemaltecas contra el régimen militar del general Romeo Lucas García (1978-1982) por crímenes cometidos durante sus años en el poder.

2001: En junio, la AJR presenta una segunda queja criminal en las Cortes guatemaltecas contra el general retirado Efraín Ríos Montt y su alto mando militar (1982-1983), acusándolo de genocidio, crímenes de lesa humanidad y crímenes de guerra cometidos durante su administración.

2002: Amnistía Internacional declara que la intensificación de los abusos en Guatemala es de tal severidad que el país debe ser considerado un fracaso total en el área de los derechos humanos. A principios del año 2000, cuando se presentaron cargos por el asesinato del obispo Gerardi, y en el primero de los dos casos defendidos por la AJR, se produjo un serio incremento en el número de amenazas, asesinatos y otros abusos dirigidos contra defensores de derechos humanos guatemaltecos (y en ocasiones extranjeros) y otras personas que participan en o informan de las iniciativas en pro de la justicia y la verdad.

2003: El FRG logra inscribir a Ríos Montt como su candidato presidencial (a pesar de que un artículo de la Constitución prohíbe la participación en dichas elecciones de aquellos que llegaron al poder por medio de golpes militares); durante el año, se intensifica la violencia política. En noviembre Ríos Montt es eliminado en la primera ronda de las elecciones.

2004: Óscar Berger, del partido conservador Gran Alianza Nacional (GANA), se convierte en el nuevo presidente de Guatemala.

Fuentes: Centro de Recursos Interhemisféricos, Programa Ecuménico para Centroamérica y el Caribe (EPICA) y la Campaña por la Paz y la Vida en Guatemala.

Agradecimientos

Sobre todo, deseo dar las gracias a todos los guatemaltecos con los que viví y trabajé, quienes abrieron sus corazones y compartieron sus historias, su humor, y sus hogares conmigo durante los últimos once años. Gracias en especial a todos los chapines que valerosamente ofrecieron para este libro sus testimonios y reflexiones sobre su sufrimiento, lucha y supervivencia.

Mi gratitud y reconocimiento también para aquellos que contribuyeron a este libro con sus escritos: Ricardo Falla, Francisco Goldman, Rigoberta Menchú Tum, Eduardo Galeano y Susanne Jonas; y los poetas Humberto Ak'abal, Julia Esquivel, Heather Dean y Francisco Morales Santos. Este libro no sería ni la sombra de lo que es sin sus contribuciones.

Estoy profundamente agradecido a Flavio Robinson, de la Fundación Daniele Agostino en Nueva York, y a Ricardo Stein, de la oficina guatemalteca de la Fundación Soros, por creer en este proyecto y financiarlo, haciendo posible su publicación.

Le agradezco especialmente a Ron Landucci, de Infinite Editions en Golden, Colorado, todo el tiempo y ayuda que dedicó a este proyecto; y a Heather Dean, quien trabajó infatigablemente traduciendo y editando todos los testimonios y muchos otros textos, y quien tanto me aconsejó y apoyó. Muchas gracias también a Emiliana Aguilar, quien transcribió meticulosamente al español docenas de horas de entrevistas grabadas. También estoy agradecido a Marsea Wynne por diseñar y preparar la maqueta de este libro, y por todo su apoyo. Alex Taylor merece reconocimiento especial por su excelente trabajo de traducción y edición. Gracias en especial también a Graham Russell y a la organización Rights Action por patrocinar este proyecto. A Russell le agradezco su consejo y su respaldo a este libro. Le doy mi cariño y agradecimiento también a Kareen Erbe, quien ha sido una tremenda fuente de apoyo durante todo este proceso.

Estoy muy agradecido a Amnistía Internacional EE.UU. por su apoyo, respaldo y promoción de este libro. Quiero especialmente extender mis agradecimientos a las siguientes personas de AIUSA: Meredith Larson, Bill Schultz, Christina Albo, Stephen Ruhl, Lisa Berg y en particular a Helen Garrett.

Les doy las gracias a Eduardo Galeano y Sebastião Salgado por avalar este proyecto y por sus declaraciones tan poderosas en ese sentido, y a Robert Pledge, de la Contact Image Press, por su ayuda y asesoría.

Deseo además darle reconocimiento público a las siguientes personas y organizaciones por avalar y apoyar este libro: Sarah Aird y todo el equipo de la Red en Solidaridad con el Pueblo de Guatemala (NISGUA), Steve Bennett de Witness for Peace, Scott Wright y los miembros (pasados y presentes) del equipo de EPICA (Programa Ecuménico para Centroamérica y el Caribe), Hamilton Fish, del Nation Institute, *Cultural Survival Quarterly*, Phil Anderson y la Comisión de Derechos Humanos de Guatemala en EE.UU., Kirsten Moller y Aura Aparicio de Global Exchange, Stephen Perloff de *The Photo Review*, Martha Pierce de la Metropolitan Sanctuary Alliance, y Caroline Jackson y Betsy Urrico-Brandes de *DoubleTake Magazine*.

En la creación de este libro, las siguientes personas me ofrecieron sugerencias valiosas, apoyo y aliento: Ricardo Sarac, Susan Meiselas, Jeffrey Brenman, Erin McCarley, Jim y Jacquie Dow, John Willis, Fazal Sheik, Helen Pearson, Valia Garzón, Yolanda Aguilar, Marilyn Anderson y Jonathan Garlock, Abigail Heyman, Alice Rose George, Katy Lyle, Michael Spano, Antonio Turok, Blake Milteer, Linda Green, Chris Lutz, Daniel Wilkenson, Marcia Esparza y Christopher Newell. También le doy las gracias a dos amigos guatemaltecos en EE.UU., quienes me ayudaron con la traducción, edición y otras cuestiones: Josué Revolorio y Juan Carlos Pinto. Muchísimas gracias a Kathy Ogle, quien me ayudó a revisar y editar el manuscrito. Mi gratitud también a Loy Merck por preparar un cuarto oscuro donde yo pudiera trabajar, y a Jill Kokesh por proporcionarme el espacio. Gracias a Leah Lubin y Dominik Huber por ofrecerme amablemente un lugar donde quedarme en Nueva York.

Deseo darle las gracias a la Oficina de Paz y Reconciliación y la Diócesis del Quiché en Guatemala, especialmente al padre Rigoberto Pérez en Nebaj, por darme su ayuda, amistad y respaldo para este proyecto. En particular quiero darles reconocimiento a mis compañeros de trabajo en el equipo antropológico forense: Daniel, Lya, Emi, Don Max, Emiliana, Manuel, Benedicto, Eric, Marcelino y el padre Tec... ¡Que viva la familia Pérez! Me gustaría también darle reconocimiento y recordar aquí a mi amigo ya fallecido Pedro, quien en 1993 me llevó por primera vez a las CPR de la Sierra.

En la última década, hay muchos compañeros solidarios y activistas de distintos países que han trabajado con Guatemala y quienes me han apoyado y han compartido su amistad conmigo. Son tantos que no puedo mencionar a todos aquí, y por eso les doy a todos de una vez las ¡GRACIAS! Me gustaría reconocer y dar las gracias a todos mis compañeros de la familia NCOORD / GAP / NISGUA (Oficina Nacional de Coordinación para los Refugiados y Desplazados de Guatemala / Proyecto Acompañamiento Guatemala / Red en Solidaridad con el Pueblo de Guatemala) y a mis otros cuates que han trabajado o han estado ligados con otras organizaciones que promueven la justicia social y los derechos humanos en Guatemala. Abrazos a todos.

Estoy muy agradecido a Juan García de Oteyza, Trilce Arroyo, Noelia López y todo el equipo de Turner en Madrid por su excelente gestión en esta edición en español. Muchas gracias también a la familia de powerHouse Books en Nueva York: Craig Cohen, Daniel Power, Daniel Buckley, Kim Parker, Sara Rosen y Kiki Bauer por su extraordinario diseño del libro. Y gracias también a Meg Handler, antigua editora de fotografía de powerHouse, por su entusiasmo y fe en este proyecto.

Sin el apoyo y amor de mi familia, especialmente mis padres, Cliff y Polly Moller, este libro no habría sido posible.

¡Mil gracias a todos!

Jonás (J.M.)

Agradezco profundamente el apoyo financiero para la publicación de este libro por parte de:

- Fundación Daniele Agostino
- Fundación Soros, Guatemala
- Amnistía Internacional Sección EE.UU.

Reconocimientos y notas especiales

Para proteger la privacidad y seguridad de las personas citadas y fotografiadas en este libro, la mayoría de los nombres se han cambiado.

Jonathan Moller y miembros del equipo forense de la Oficina de Paz y Reconciliación en Quiché, Guatemala grabaron los testimonios y las citas de los familiares presentes en las exhumaciones.

Jonathan Moller grabó todos los testimonios de las CPR.

Emiliana Aguilar transcribió todos los testimonios excepto las citas breves de las declaraciones hechas por los familiares presentes durante las exhumaciones.

Alex Taylor hizo la traducción de la mayoría de los textos que estaban originalmente en inglés para la edición en español.

¡Muchas gracias a todos!

Las ganancias obtenidas por los derechos de autor de este libro serán donadas a la Asociación para la Justicia y Reconciliación en Guatemala

La Asociación por la Justicia y la Reconciliación (AJR) es una de las partes demandantes en dos casos criminales colectivos llevados ante los tribunales nacionales guatemaltecos en 2000 y 2001 para demandar justicia por los crímenes de lesa humanidad, de guerra, y genocidio cometidos por los regímenes militares de Romeo Lucas García y Efraín Ríos Montt en 1981 y 1982. Más de cien sobrevivientes de masacres de veintidós comunidades son parte de la AJR. Sus metas son buscar la justicia por medio de la acción legal a favor de familiares asesinados durante el conflicto armado interno, contribuir al fortalecimiento del respeto a la ley en Guatemala, y sacar a luz la verdad del pasado reciente guatemalteco para que la violencia nunca se repita. El Centro para la Acción Legal de Derechos Humanos (CALDH) actúa de asesor legal de la AJR.

Direcciones de interés

Amnesty International USA
322 Eighth Avenue
New York, NY 10001
www.amnestyusa.org/spanish
Página sobre Guatemala:
www.amnestyusa.org/spanish/paises/guatemala/acciones/
acuerdos_de_paz

**Centro para la Acción Legal en Derechos Humanos
(CALDH)**
9a. Avenida 2-59, Zona 1
Ciudad de Guatemala, Guatemala, C.A.
www.caldh.org
www.justiceforgenocide.org/es/index_es.html

Centro de Estudios de Guatemala
Apartado Postal 213, Agencia Montserrat
Ciudad de Guatemala 01907, Guatemala, C.A.
www.c.net.gt/ceg

Defensoría Maya
32 Avenida 1-56, zona 7
Colonia Utatlan I
Ciudad de Guatemala, Guatemala, C.A.
www.laneta.apc.org/rci/defmay/index.htm

Foundation for Human Rights in Guatemala
4554 N. Broadway Avenue
Chicago, IL 60640
www.fhrg.org

Fundación Myrna Mack
6 Calle 1-36, Apartamentos Valsari, Oficina 504
Ciudad de Guatemala, 01010, Guatemala, C.A.
www.myrnamack.org.gt

Fundación Rigoberta Menchú Tum
Heriberto Frías 339, Col. Narvarte
México, D.F., C.P. 03020, México
www.rigobertamenchu.org

Guatemala Human Rights Commission/USA
3321 12th Street NE
Washington, DC 20017
www.ghrc-usa.org

Instituto Interamericano de Derechos Humanos
Apartado postal 10081-1000
San José de Costa Rica, C.A.
www.iidh.ed.cr

Proyecto para la Memoria Histórica
John Jay College of Criminal Justice
445 West 59th Street
New York, NY 10019
www.historicalmemoryproject.org

Human Rights Watch
350 Fifth Avenue, 34th Floor
New York, NY 10118
www.hrw.org/spanish

**National Security Archive-Guatemala
Documentation Project**
Gelman Library, Suite 701
2130 H Street NW
Washington, DC 20037
www.gwu.edu/~nsarchiv/latin_america/guatemala.html

**NISGUA (La Red de Solidaridad con el Pueblo
de Guatemala)**
830 Connecticut Avenue. NW
Washington, DC 20009
www.nisgua.org/index–Spanish.htm

**Oficina de Derechos Humanos del Arzobispado
de Guatemala (ODHAG)**
6ª Calle 7-70, Zona 1
Ciudad de Guatemala 01001, Guatemala, C.A.
www.odhag.org.gt

Washington Office on Latin America
1630 Connecticut Avenue NW, Suite 200
Washington, DC 20009
www.wola.org

**Witness for Peace /
Acción Permanente por la Paz**
707 8th Street, SE Suite 100
Washington, DC 20003
www.witnessforpeace.org

Biografías

Jonathan Moller es norteamericano y especialista en fotografía artística y documental. También es activista de derechos humanos. Ha vivido siete años en Centroamérica, principalmente en Guatemala, donde trabajó en pro de los derechos humanos y como fotógrafo independiente.

Sus fotografías han sido exhibidas, coleccionadas y publicadas extensamente en Norteamérica, Europa y Latinoamérica. Sus imágenes sobre Guatemala han sido publicadas en varios libros, así como también en *LIFE 2001: El año en imágenes* y en la revista *DoubleTake*. También han sido utilizados por muchas organizaciones no gubernamentales de derechos humanos en publicaciones, informes y campañas educacionales. Ha sido miembro de Impact Visuals, Swanstock y el Image Bank.

Sus obras forman parte de las colecciones permanentes de numerosos museos e instituciones, incluyendo el Museo de Arte Moderno de San Francisco, la Casa George Eastman en Nueva York, el Instituto de Artes de Minneapolis, el Museo de Arte de Baltimore, el Museo de Arte de Brooklyn, el Museo de Arte de la Universidad de California en Berkeley, la Corporación Internacional Polaroid, el Centro de la Imagen en la Ciudad de México y la Casa de las Américas, en La Habana (Cuba).

Moller recibió el Premio Henry Dunant de la Cruz Roja por Excelencia en el Periodismo, una beca de la Sociedad de Fotografía Contemporánea de EE.UU., el Premio Visión del Centro de Artes Visuales de Santa Fe, Nuevo México, así como el prestigioso Premio Golden Light de los Talleres Fotográficos de Maine, EE.UU. Parte de su trabajo se puede ver en su sitio de Internet: www.jonathanmoller.org.

Humberto Ak'abal es un poeta maya-k'iche' y una de las voces con más fuerza de la literatura guatemalteca actual. Ha publicado varias colecciones bilingües de poesía, incluyendo *Poems I Brought Down from the Mountain, Guardián de la caída de agua (Guardian of the Waterfall), Hojas del árbol pajarero (Leaves on the Bird Tree)* y *Palabramiel (Honey Word)*. Los poemas de Ak'abal son conocidos internacionalmente y han sido incluidos en diversas antologías.

Heather Dean es poeta y activista de derechos humanos. Nacida en Estados Unidos, ha vivido y trabajado en Guatemala durante varios años.

Julia Esquivel es poeta y activista de derechos humanos que fue forzada a vivir en el exilio durante varios años. Tres de sus libros de poesía han sido traducidos al inglés: *Certeza de primavera, Amenazada de resurrección* y *Algunos secretos del reino*.

Ricardo Falla es sacerdote jesuita guatemalteco y destacado antropólogo. Es el autor de *Masacres de la selva, Ixcán, Guatemala (1975-1982), Historia de un gran amor; Quiché rebelde* y *Esa muerte que nos hace vivir*. Durante las décadas de 1980 y 1990 pasó seis años con las Comunidades de Población en Resistencia del Ixcán.

Eduardo Galeano es novelista, ensayista y periodista uruguayo de fama internacional. Es el autor de varios libros, entre ellos *Memoria de fuego, Las venas abiertas de América Latina* y *El libro de los abrazos*, traducidos a más de veinte idiomas. En 1999 recibió el Premio de la Libertad Cultural de la Fundación Lannan.

Francisco Goldman creció en Boston y Guatemala y reparte su tiempo entre las ciudades de Nueva York y México. Es el aclamado autor de tres novelas, *La larga noche de los pollos blancos, Marinero raso* y *The Divine Husband*. El trabajo de Goldman ha aparecido en varias publicaciones, tales como *The New Yorker, The New York Review of Books* y *The New York Times Magazine*. Goldman ocupa la cátedra de Literatura Allan K. Smith del Trinity College en Hartford, Connecticut, EE.UU.

Susanne Jonas es profesora de Estudios Latinoamericanos y Latinos en la Universidad de California en Santa Cruz. Desde la década de 1960 ha escrito extensamente sobre Guatemala; sus trabajos más recientes son *La batalla por Guatemala* (1991) y *De centauros y palomas: El proceso de paz guatemalteco* (2000).

Rigoberta Menchú Tum recibió el Premio Nobel de la Paz de 1992. Es una activista maya guatemalteca internacionalmente conocida por promover los derechos indígenas y la reconciliación étnica y cultural. Su primer libro, *Me llamo Rigoberta Menchú y así me nació la conciencia*, ha sido traducido a más de doce idiomas y ha recibido varios premios internacionales.

El poeta guatemalteco **Francisco Morales Santos** ha publicado más de una docena de libros de poesía en Guatemala. En el año 2000 publicó en Estados Unidos la colección bilingüe de poesía *La tarea de relatar (The Task of Telling)*. En 1998 recibió en Guatemala el prestigioso Premio Nacional de Literatura Miguel Ángel Asturias.

¿Será que haga favor de llevar nuestra voz, a publicarlo en otros lugares?

Nicolás, CPR de la Sierra, 1993

Si nos quedamos callados, si no actuamos, si no hacemos algo por el pueblo, entonces de todas maneras se va a dar otro sufrimiento, otra situación más dura.

Santos, CPR de la Sierra, 2000

Don Pedro y doña Elena, con quienes me quedé en Cabá en 1993 y 1994, miran un modelo de mi libro de fotografías sobre las CPR y las exhumaciones. Nebaj, 2001

NUESTRA CULTURA ES NUESTRA RESISTENCIA
REPRESIÓN, REFUGIO Y RECUPERACIÓN EN GUATEMALA

Edición en español © Turner Publicaciones, S.L.
Fotografías © 2004 Jonathan Moller
Prólogo © Rigoberta Menchú Tum
Textos © sus autores

Traducción de Alex Taylor
Diseño de Kiki Bauer

Publicado originalmente en inglés por powerHouse Books, New York

Turner
Rafael Calvo 42, 2º esc. izda.
28010 Madrid
tel. 34 91 308 3336 fax 34 91 319 3930
www.turnerlibros.com

Distribuido en América Latina por:
Editorial Océano de México S.A. de C.V.
Eugenio Sue 59
Colonia Chapultepec Polanco
México D.F. 11560
tel. 52 55 5279 9000 fax 52 55 5279 9006
info@oceano.com.mx

Primera edición, 2004

ISBN 84-7506-695-X

Fotomecánica, impresión y encuadernación: Amilcare Pizzi, S.p.A. Milán